Le Malentendu

ISBN 978-2-7011-8987-1
ISSN 1958-0541

CLASSICO COLLÈGE

Le Malentendu

ALBERT CAMUS

Dossier par Hélène Doroszczuk
Certifiée de lettres modernes

BELIN ■ GALLIMARD

Sommaire

Introduction   7

Acte I   11

Arrêt sur lecture 1   46
Découvrir l'acte d'exposition de la tragédie

Acte II   53

Arrêt sur lecture 2   73
Comprendre l'évolution de l'intrigue

Acte III   81

Arrêt sur lecture 3   102
Étudier le dénouement d'une tragédie moderne

Arrêt sur l'œuvre

Des questions sur l'ensemble de la pièce   109

Des mots pour mieux écrire   111
Lexique de la culpabilité et du crime
Lexique de la tragédie

À vous de créer   114

Groupements de textes

Groupement 1. De la tragédie antique
à la tragédie moderne   118

Groupement 2. Enfants et parents   128

Autour de l'œuvre

Interview imaginaire d'Albert Camus   137

Contexte historique et culturel   140

Repères chronologiques   142

Les grands thèmes de l'œuvre   143
Des destins tragiques
Le crime

Vers l'écrit du Brevet

148

Fenêtres sur...

154

Des ouvrages à lire, des films et une série télévisée
à voir, des œuvres d'art à découvrir et des sites Internet
à consulter

Introduction

Le 24 juin 1944 a lieu la première représentation du *Malentendu* au théâtre des Mathurins, à Paris. La ville est alors sous occupation allemande, pendant la Seconde Guerre mondiale. Albert Camus vient de publier, deux années plus tôt, son premier roman, *L'Étranger*. Il est également connu pour ses articles dans le journal *Combat*, issu d'un mouvement de la Résistance, et pour son engagement politique. Le public, qui s'attend donc à une tragédie grandiose et engagée sur la nature humaine, est déconcerté par la dimension presque ordinaire de l'intrigue. La pièce raconte en effet l'histoire de Jan qui retourne dans son pays natal après vingt ans d'absence et souhaite y retrouver sa mère et sa sœur. Mais ces retrouvailles tournent au cauchemar car les deux femmes se révèlent être des meurtrières...

Avec cette pièce, Albert Camus compose une version tragique de la parabole du retour de l'enfant prodige. Appartenant au « cycle de l'absurde », comme *L'Étranger* ou *Caligula*, pièce qui paraîtra la même année que *Le Malentendu*, cette tragédie moderne réunit tous les thèmes chers à l'auteur: la solitude de l'être humain face au caractère absurde de son existence et la révolte comme seule échappatoire.

À mes amis du « Théâtre de l'Équipe »[1]

---

1. **Théâtre de l'Équipe** : théâtre fondé par Albert Camus à Alger, en 1937.

Le Malentendu *a été représenté pour la première fois le 24 juin 1944, au théâtre des Mathurins, dans une mise en scène de Marcel Herrand, et avec la distribution suivante :*

MARTHA	*Maria Casarès.*
MARIA	*Hélène Vercors.*
LA MÈRE	*Marie Kalff.*
JAN	*Marcel Herrand.*
LE VIEUX DOMESTIQUE	*Paul Œttly.*

ACTE I

Scène 1

Midi. La salle commune de l'auberge.
Elle est propre et claire. Tout y est net.

LA MÈRE

Il reviendra.

MARTHA

Il te l'a dit?

LA MÈRE

Oui. Quand tu es sortie.

MARTHA

Il reviendra seul?

LA MÈRE

5 Je ne sais pas.

MARTHA

Est-il riche?

LA MÈRE

Il ne s'est pas inquiété du prix.

MARTHA

S'il est riche, tant mieux. Mais il faut aussi qu'il soit seul.

LA MÈRE, *avec lassitude*[1].

Seul et riche, oui. Et alors nous devrons recommencer.

MARTHA

Nous recommencerons, en effet. Mais nous serons payées de notre peine.

Un silence. Martha regarde sa mère.

Mère, vous êtes singulière[2]. Je vous reconnais mal depuis quelque temps.

LA MÈRE

Je suis fatiguée, ma fille, rien de plus. Je voudrais me reposer.

MARTHA

Je puis prendre sur moi[3] ce qui vous reste encore à faire dans la maison. Vous aurez ainsi toutes vos journées.

LA MÈRE

Ce n'est pas exactement de ce repos que je parle. Non, c'est un rêve de vieille femme. J'aspire seulement à la paix, à un peu d'abandon. *(Elle rit faiblement.)* Cela est stupide à dire, Martha, mais il y a des soirs où je me sentirais presque des goûts de religion.

MARTHA

Vous n'êtes pas si vieille, ma mère, qu'il faille en venir là. Vous avez mieux à faire.

---

1. Avec lassitude: d'un air fatigué.
2. Singulière: étrange.
3. Prendre sur moi: prendre en charge, m'occuper de.

LA MÈRE

Tu sais bien que je plaisante. Mais quoi ! À la fin d'une vie, on peut bien se laisser aller. On ne peut pas toujours se raidir et se durcir comme tu le fais, Martha. Ce n'est pas de ton âge non plus. Et je connais bien des filles, nées la même année que toi, qui ne songent qu'à des folies.

MARTHA

Leurs folies ne sont rien auprès des nôtres, vous le savez.

LA MÈRE

Laissons cela.

MARTHA, *lentement.*

On dirait qu'il est maintenant des mots qui vous brûlent la bouche.

LA MÈRE

Qu'est-ce que cela peut te faire, si je ne recule pas devant les actes ? Mais qu'importe ! Je voulais seulement dire que j'aimerais quelquefois te voir sourire.

MARTHA

Cela m'arrive, je vous le jure.

LA MÈRE

Je ne t'ai jamais vue ainsi.

MARTHA

C'est que je souris dans ma chambre, aux heures où je suis seule.

LA MÈRE, *la regardant attentivement.*

Quel dur visage est le tien, Martha !

MARTHA, *s'approchant et avec calme.*
Ne l'aimez-vous donc pas ?

LA MÈRE, *la regardant toujours, après un silence.*
Je crois que oui, pourtant.

MARTHA, *avec agitation.*
40 Ah ! mère ! Quand nous aurons amassé beaucoup d'argent et
que nous pourrons quitter ces terres sans horizon, quand nous
laisserons derrière nous cette auberge et cette ville pluvieuse,
et que nous oublierons ce pays d'ombre, le jour où nous serons
enfin devant la mer dont j'ai tant rêvé, ce jour-là, vous me verrez
45 sourire. Mais il faut beaucoup d'argent pour vivre devant la mer.
C'est pour cela qu'il ne faut pas avoir peur des mots. C'est pour
cela qu'il faut s'occuper de celui qui doit venir. S'il est suffisamment riche, ma liberté commencera peut-être avec lui. Vous a-t-il
parlé longuement, mère ?

LA MÈRE
50 Non. Deux phrases en tout.

MARTHA
De quel air vous a-t-il demandé sa chambre ?

LA MÈRE
Je ne sais pas. Je vois mal et je l'ai mal regardé. Je sais, par expérience, qu'il vaut mieux ne pas les regarder. Il est plus facile de
tuer ce qu'on ne connaît pas. *(Un temps.)* Réjouis-toi, je n'ai pas
55 peur des mots maintenant.

MARTHA

C'est mieux ainsi. Je n'aime pas les allusions[1]. Le crime est le crime, il faut savoir ce que l'on veut. Et il me semble que vous le saviez tout à l'heure, puisque vous y avez pensé, en répondant au voyageur.

LA MÈRE

60 Je n'y ai pas pensé. J'ai répondu par habitude.

MARTHA

L'habitude ? Vous le savez, pourtant, les occasions ont été rares !

LA MÈRE

Sans doute. Mais l'habitude commence au second crime. Au premier, rien ne commence, c'est quelque chose qui finit. Et puis, si les occasions ont été rares, elles se sont étendues sur beaucoup 65 d'années, et l'habitude s'est fortifiée du souvenir. Oui, c'est bien l'habitude qui m'a poussée à répondre, qui m'a avertie[2] de ne pas regarder cet homme, et assurée qu'il avait le visage d'une victime.

MARTHA

Mère, il faudra le tuer.

LA MÈRE, *plus bas.*

Sans doute, il faudra le tuer.

MARTHA

70 Vous dites cela d'une singulière façon.

---

1. Allusions : sous-entendus.
2. Qui m'a avertie : qui m'a prévenue, qui m'a mise en garde.

LA MÈRE

Je suis lasse, en effet, et j'aimerais qu'au moins celui-là soit le dernier. Tuer est terriblement fatigant. Je me soucie peu de mourir devant la mer ou au centre de nos plaines, mais je voudrais bien qu'ensuite nous partions ensemble.

MARTHA

75 Nous partirons et ce sera une grande heure! Redressez-vous, mère, il y a peu à faire. Vous savez bien qu'il ne s'agit même pas de tuer. Il boira son thé, il dormira, et tout vivant encore, nous le porterons à la rivière. On le retrouvera dans longtemps, collé contre un barrage, avec d'autres qui n'auront pas eu sa chance
80 et qui se seront jetés dans l'eau, les yeux ouverts. Le jour où nous avons assisté au nettoyage du barrage, vous me le disiez, mère, ce sont les nôtres qui souffrent le moins, la vie est plus cruelle que nous. Redressez-vous, vous trouverez votre repos et nous fuirons enfin d'ici.

LA MÈRE

85 Oui, je vais me redresser. Quelquefois, en effet, je suis contente à l'idée que les nôtres n'ont jamais souffert. C'est à peine un crime, tout juste une intervention, un léger coup de pouce donné à des vies inconnues. Et il est vrai qu'apparemment la vie est plus cruelle que nous. C'est peut-être pour cela que j'ai du mal à me
90 sentir coupable.

Entre le vieux domestique. Il va s'asseoir derrière le comptoir, sans un mot. Il ne bougera pas jusqu'à la fin de la scène.

MARTHA

Dans quelle chambre le mettrons-nous?

LA MÈRE

N'importe laquelle, pourvu que ce soit au premier.

MARTHA

Oui, nous avons trop peiné, la dernière fois, dans les deux étages.
(Elle s'assied pour la première fois.) Mère, est-il vrai que, là-bas, le
95 sable des plages fasse des brûlures aux pieds ?

LA MÈRE

Je n'y suis pas allée, tu le sais. Mais on m'a dit que le soleil
dévorait tout.

MARTHA

J'ai lu dans un livre qu'il mangeait jusqu'aux âmes et qu'il faisait
des corps resplendissants, mais vidés par l'intérieur.

LA MÈRE

100 Est-ce cela, Martha, qui te fait rêver ?

MARTHA

Oui, j'en ai assez de porter toujours mon âme, j'ai hâte de trouver
ce pays où le soleil tue les questions. Ma demeure n'est pas ici.

LA MÈRE

Auparavant, hélas ! nous avons beaucoup à faire. Si tout va bien,
j'irai, bien sûr, avec toi. Mais moi, je n'aurai pas le sentiment d'aller
105 vers ma demeure. À un certain âge, il n'est pas de demeure où le
repos soit possible, et c'est déjà beaucoup si l'on a pu faire soi-même
cette dérisoire[1] maison de briques, meublée de souvenirs, où il
arrive parfois que l'on s'endorme. Mais naturellement, ce serait
quelque chose aussi, si je trouvais à la fois le sommeil et l'oubli.

Elle se lève et se dirige vers la porte.

110 Prépare tout, Martha. *(Un temps.)* Si vraiment cela en vaut
la peine.

Martha la regarde sortir. Elle-même sort par une autre porte.

---

1. Dérisoire : petite, ridicule.

Scène 2

Le vieux domestique va à la fenêtre, aperçoit Jan et Maria, puis se dissimule. Le vieux reste en scène, seul, pendant quelques secondes. Entre Jan. Il s'arrête, regarde dans la salle, aperçoit le vieux, derrière la fenêtre.

JAN

Il n'y a personne?

Le vieux le regarde, traverse la scène et s'en va.

Scène 3

Entre Maria. Jan se retourne brusquement vers elle.

JAN

Tu m'as suivi.

MARIA

Pardonne-moi, je ne pouvais pas. Je partirai peut-être tout à l'heure. Mais laisse-moi voir l'endroit où je te laisse.

JAN

On peut venir et ce que je veux faire ne sera plus possible.

MARIA

Donnons-nous au moins cette chance que quelqu'un vienne et que je te fasse reconnaître malgré toi.

Il se détourne. Un temps.

MARIA, *regardant autour d'elle.*

C'est ici?

JAN

120 Oui, c'est ici. J'ai pris cette porte, il y a vingt ans. Ma sœur était une petite fille. Elle jouait dans ce coin. Ma mère n'est pas venue m'embrasser. Je croyais alors que cela m'était égal.

MARIA

Jan, je ne puis croire qu'elles ne t'aient pas reconnu tout à l'heure. Une mère reconnaît toujours son fils.

JAN

125 Il y a vingt ans qu'elle ne m'a vu. J'étais un adolescent, presque un jeune garçon. Ma mère a vieilli, sa vue a baissé. C'est à peine si moi-même je l'ai reconnue.

MARIA, *avec impatience.*

Je sais, tu es entré, tu as dit: «Bonjour», tu t'es assis. Tu ne reconnaissais rien.

JAN

130 Ma mémoire n'était pas juste. Elles m'ont accueilli sans un mot. Elles m'ont servi la bière que je demandais. Elles me regardaient, elles ne me voyaient pas. Tout était plus difficile que je ne l'avais cru.

MARIA

Tu sais bien que ce n'était pas difficile et qu'il suffisait de parler. Dans ces cas-là, on dit: «C'est moi», et tout rentre dans l'ordre.

JAN

135 Oui, mais j'étais plein d'imaginations. Et moi qui attendais un peu le repas du prodigue[1], on m'a donné de la bière contre mon argent. J'étais ému, je n'ai pas pu parler.

---

1. Dans la Bible, le «fils prodigue» est celui qui revient chez lui après avoir quitté sa famille. Bien qu'il ait dilapidé sa fortune, son père est si heureux de le revoir qu'il l'accueille avec joie et fait préparer un festin en son honneur.

MARIA

Il aurait suffi d'un mot.

JAN

Je ne l'ai pas trouvé. Mais quoi, je ne suis pas si pressé. Je suis
140 venu ici apporter ma fortune, et si je le puis, du bonheur. Quand
j'ai appris la mort de mon père, j'ai compris que j'avais des responsabilités envers elles deux et, l'ayant compris, je fais ce qu'il
faut. Mais je suppose que ce n'est pas si facile qu'on le dit de
rentrer chez soi et qu'il faut un peu de temps pour faire un fils
145 d'un étranger.

MARIA

Mais pourquoi n'avoir pas annoncé ton arrivée? Il y a des cas
où l'on est bien obligé de faire comme tout le monde. Quand
on veut être reconnu, on se nomme, c'est l'évidence même. On
finit par tout brouiller en prenant l'air de ce qu'on n'est pas.
150 Comment ne serais-tu pas traité en étranger dans une maison
où tu te présentes comme un étranger? Non, non, tout cela
n'est pas sain.

JAN

Allons, Maria, ce n'est pas si grave. Et puis quoi, cela sert mes
projets. Je vais profiter de l'occasion, les voir un peu de l'exté-
155 rieur. J'apercevrai mieux ce qui les rendra heureuses. Ensuite,
j'inventerai les moyens de me faire reconnaître. Il suffit en somme
de trouver ses mots.

MARIA

Il n'y a qu'un moyen. C'est de faire ce que ferait le premier venu,
de dire: «Me voilà», c'est de laisser parler son cœur.

JAN

160 Le cœur n'est pas si simple.

20

MARIA

Mais il n'use que de mots simples. Et ce n'était pas bien difficile de dire : «Je suis votre fils, voici ma femme. J'ai vécu avec elle dans un pays que nous aimions, devant la mer et le soleil. Mais je n'étais pas assez heureux et aujourd'hui j'ai besoin de vous.»

JAN

165 Ne sois pas injuste, Maria. Je n'ai pas besoin d'elles, mais j'ai compris qu'elles devaient avoir besoin de moi et qu'un homme n'était jamais seul.

Un temps. Maria se détourne.

MARIA

Peut-être as-tu raison, je te demande pardon. Mais je me méfie de tout depuis que je suis entrée dans ce pays où je cherche en vain 170 un visage heureux. Cette Europe est si triste. Depuis que nous sommes arrivés, je ne t'ai plus entendu rire, et moi, je deviens soupçonneuse. Oh! pourquoi m'avoir fait quitter mon pays? Partons, Jan, nous ne trouverons pas le bonheur ici.

JAN

Ce n'est pas le bonheur que nous sommes venus chercher. 175 Le bonheur, nous l'avons.

MARIA, *avec véhémence*[1].

Pourquoi ne pas s'en contenter?

JAN

Le bonheur n'est pas tout et les hommes ont leur devoir. Le mien est de retrouver ma mère, une patrie…

Maria a un geste. Jan l'arrête : on entend des pas.
Le vieux passe devant la fenêtre.

---

1. Avec véhémence : avec violence.

Jan

On vient. Va-t'en, Maria, je t'en prie.

Maria

180 Pas comme cela, ce n'est pas possible.

Jan, *pendant que les pas se rapprochent.*

Mets-toi là.

> *Il la pousse derrière la porte du fond.*

Scène 4

*La porte du fond s'ouvre. Le vieux traverse la pièce
sans voir Maria et sort par la porte du dehors.*

Jan

Et maintenant, pars vite. Tu vois, la chance est avec moi.

Maria

Je veux rester. Je me tairai et j'attendrai près de toi que tu sois
reconnu.

Jan

185 Non, tu me trahirais.

> *Elle se détourne, puis revient vers lui et le regarde en face.*

Maria

Jan, il y a cinq ans que nous sommes mariés.

Jan

Il y aura bientôt cinq ans.

MARIA, *baissant la tête.*

Cette nuit est la première où nous serons séparés.

Il se tait, elle le regarde de nouveau.

190 J'ai toujours tout aimé en toi, même ce que je ne comprenais pas et je vois bien qu'au fond, je ne te voudrais pas différent. Je ne suis pas une épouse bien contrariante. Mais ici, j'ai peur de ce lit désert où tu me renvoies et j'ai peur aussi que tu m'abandonnes.

JAN

Tu ne dois pas douter de mon amour.

MARIA

195 Oh ! je n'en doute pas. Mais il y a ton amour et il y a tes rêves, ou tes devoirs, c'est la même chose. Tu m'échappes si souvent. C'est alors comme si tu te reposais de moi. Mais moi, je ne peux pas me reposer de toi et c'est ce soir *(elle se jette contre lui en pleurant)*, c'est ce soir que je ne pourrai pas supporter.

JAN, *la serrant contre lui.*

Cela est puéril[1].

MARIA

200 Bien sûr, cela est puéril. Mais nous étions si heureux là-bas et ce n'est pas de ma faute si les soirs de ce pays me font peur. Je ne veux pas que tu m'y laisses seule.

JAN

Je ne te laisserai pas longtemps. Comprends donc, Maria, que j'ai une parole à tenir.

---

1. **Puéril** : infantile, qui manque de sérieux.

MARIA

205 Quelle parole ?

JAN

Celle que je me suis donnée le jour où j'ai compris que ma mère avait besoin de moi.

MARIA

Tu as une autre parole à tenir.

JAN

Laquelle ?

MARIA

210 Celle que tu m'as donnée le jour où tu as promis de vivre avec moi.

JAN

Je crois bien que je pourrai tout concilier[1]. Ce que je te demande est peu de chose. Ce n'est pas un caprice. Une soirée et une nuit où je vais essayer de m'orienter, de mieux connaître celles que j'aime et d'apprendre à les rendre heureuses.

MARIA, *secouant la tête.*

215 La séparation est toujours quelque chose pour ceux qui s'aiment comme il faut.

JAN

Sauvage, tu sais bien que je t'aime comme il faut.

MARIA

Non, les hommes ne savent jamais comment il faut aimer. Rien ne les contente. Tout ce qu'ils savent, c'est rêver, imaginer de

---

1. **Tout concilier** : réussir à tout faire, tenir mes deux paroles.

220 nouveaux devoirs, chercher de nouveaux pays et de nouvelles demeures. Tandis que nous, nous savons qu'il faut se dépêcher d'aimer, partager le même lit, se donner la main, craindre l'absence. Quand on aime, on ne rêve à rien.

JAN

Que vas-tu chercher là? Il s'agit seulement de retrouver ma mère, 225 de l'aider et la rendre heureuse. Quant à mes rêves ou mes devoirs, il faut les prendre comme ils sont. Je ne serais rien en dehors d'eux et tu m'aimerais moins si je ne les avais pas.

MARIA, *lui tournant brusquement le dos.*

Je sais que tes raisons sont toujours bonnes et que tu peux me convaincre. Mais je ne t'écoute plus, je me bouche les oreilles 230 quand tu prends la voix que je connais bien. C'est la voix de ta solitude, ce n'est pas celle de l'amour.

JAN, *se plaçant derrière elle.*

Laissons cela, Maria. Je désire que tu me laisses seul ici afin d'y voir plus clair. Cela n'est pas si terrible et ce n'est pas une grande affaire que de coucher sous le même toit que sa mère. 235 Dieu fera le reste. Mais Dieu sait aussi que je ne t'oublie pas dans tout cela. Seulement, on ne peut pas être heureux dans l'exil[1] ou dans l'oubli. On ne peut pas toujours rester un étranger. Je veux retrouver mon pays, rendre heureux tous ceux que j'aime. Je ne vois pas plus loin.

MARIA

240 Tu pourrais faire tout cela en prenant un langage simple. Mais ta méthode n'est pas la bonne.

---

1. **Exil**: fait d'être obligé de vivre loin de sa patrie.

JAN

Elle est la bonne puisque, par elle, je saurai si, oui ou non, j'ai raison d'avoir ces rêves.

MARIA

245 Je souhaite que ce soit oui et que tu aies raison. Mais moi, je n'ai pas d'autre rêve que ce pays où nous étions heureux, pas d'autre devoir que toi.

JAN, *la prenant contre lui.*

Laisse-moi aller. Je finirai par trouver les mots qui arrangeront tout.

MARIA, *s'abandonnant.*

Oh! continue de rêver. Qu'importe, si je garde ton amour! D'habitude, je ne veux pas être malheureuse quand je suis contre toi. Je 250 patiente, j'attends que tu te lasses de tes nuées[1] : alors commence mon temps. Si je suis malheureuse aujourd'hui, c'est que je suis bien sûre de ton amour et certaine pourtant que tu vas me renvoyer. C'est pour cela que l'amour des hommes est un déchirement. Ils ne peuvent se retenir de quitter ce qu'ils préfèrent.

JAN, *la prend au visage et sourit.*

255 Cela est vrai, Maria. Mais quoi, regarde-moi, je ne suis pas si menacé. Je fais ce que je veux et j'ai le cœur en paix. Tu me confies pour une nuit à ma mère et à ma sœur, ce n'est pas si redoutable.

MARIA, *se détachant de lui.*

Alors, adieu, et que mon amour te protège.

Elle marche vers la porte où elle s'arrête et,
lui montrant ses mains vides :

---

1. **Nuées** : rêves, idées obscures.

260   Mais vois comme je suis démunie[1]. Tu pars à la découverte et tu me laisses dans l'attente.

Elle hésite. Elle s'en va.

Scène 5

*Jan s'assied. Entre le vieux domestique qui tient
la porte ouverte pour laisser passer Martha, et sort ensuite.*

JAN

Bonjour. Je viens pour la chambre.

MARTHA

Je sais. On la prépare. Il faut que je vous inscrive sur notre livre.

Elle va chercher son livre et revient.

JAN

Vous avez un domestique bizarre.

MARTHA

265 C'est la première fois qu'on nous reproche quelque chose à son sujet. Il fait toujours très exactement ce qu'il doit faire.

JAN

Oh! ce n'est pas un reproche. Il ne ressemble pas à tout le monde, voilà tout. Est-il muet?

MARTHA

Ce n'est pas cela.

---

1. Démunie: désemparée, privée de tout.

JAN

270 Il parle donc?

MARTHA

Le moins possible et seulement pour l'essentiel.

JAN

En tout cas, il n'a pas l'air d'entendre ce qu'on lui dit.

MARTHA

On ne peut pas dire qu'il n'entende pas. C'est seulement qu'il entend mal. Mais je dois vous demander votre nom et vos prénoms.

JAN

275 Hasek, Karl.

MARTHA

Karl, c'est tout?

JAN

C'est tout.

MARTHA

Date et lieu de naissance?

JAN

J'ai trente-huit ans.

MARTHA

280 Où êtes-vous né?

JAN, *il hésite.*

En Bohême[1].

---

1. **Bohême**: région de la République tchèque.

MARTHA

Profession?

JAN

Sans profession.

MARTHA

Il faut être très riche ou très pauvre pour vivre sans un métier.

JAN, *il sourit.*

285 Je ne suis pas très pauvre et, pour bien des raisons, j'en suis content.

MARTHA, *sur un autre ton.*

Vous êtes tchèque, naturellement?

JAN

Naturellement.

MARTHA

Domicile habituel?

JAN

La Bohême.

MARTHA

290 Vous en venez?

JAN

Non, je viens d'Afrique. *(Elle a l'air de ne pas comprendre.)* De l'autre côté de la mer.

MARTHA

Je sais. *(Un temps.)* Vous y allez souvent?

JAN

Assez souvent.

MARTHA, *elle rêve un moment, mais reprend.*

295 Quelle est votre destination ?

JAN

Je ne sais pas. Cela dépendra de beaucoup de choses.

MARTHA

Vous voulez vous fixer ici ?

JAN

Je ne sais pas. C'est selon ce que j'y trouverai.

MARTHA

Cela ne fait rien. Mais personne ne vous attend ?

JAN

300 Non, personne, en principe.

MARTHA

Je suppose que vous avez une pièce d'identité ?

JAN

Oui, je peux vous la montrer.

MARTHA

Ce n'est pas la peine. Il suffit que j'indique si c'est un passeport ou une carte d'identité.

JAN, *hésitant.*

305 Un passeport. Le voilà. Voulez-vous le voir ?

> *Elle l'a pris dans ses mains et va le lire, mais le vieux*
> *domestique paraît dans l'encadrement de la porte.*

MARTHA

Non, je ne t'ai pas appelé. *(Il sort. Martha rend à Jan le passeport, sans le lire, avec une sorte de distraction.)* Quand vous allez là-bas, vous habitez près de la mer?

JAN

Oui.

> *Elle se lève, fait mine de ranger son cahier, puis se ravise*
> *et le tient ouvert devant elle.*

MARTHA, *avec une dureté soudaine.*

310 Ah! j'oubliais! Vous avez de la famille?

JAN

J'en avais. Mais il y a longtemps que je l'ai quittée.

MARTHA

Non, je veux dire: «Êtes-vous marié?»

JAN

Pourquoi me demandez-vous cela? On ne m'a posé cette question dans aucun autre hôtel.

MARTHA

315 Elle figure dans le questionnaire que nous donne l'administration du canton.

JAN

C'est bizarre. Oui, je suis marié. D'ailleurs, vous avez dû voir mon alliance.

31

MARTHA

Je ne l'ai pas vue. Pouvez-vous me donner l'adresse de votre
320 femme?

JAN

Elle est restée dans son pays.

MARTHA

Ah! parfait. *(Elle ferme son livre.)* Dois-je vous servir à boire, en
attendant que votre chambre soit prête?

JAN

Non, j'attendrai ici. J'espère que je ne vous gênerai pas.

MARTHA

325 Pourquoi me gêneriez-vous? Cette salle est faite pour recevoir
des clients.

JAN

Oui, mais un client tout seul est quelquefois plus gênant qu'une
grande affluence[1].

MARTHA, *qui range la pièce.*

Pourquoi? Je suppose que vous n'aurez pas l'idée de me faire
330 des contes[2]. Je ne puis rien donner à ceux qui viennent ici chercher des plaisanteries. Il y a longtemps qu'on l'a compris dans
le pays. Et vous verrez bientôt que vous avez choisi une auberge
tranquille. Il n'y vient presque personne.

JAN

Cela ne doit pas arranger vos affaires.

---

1. **Une grande affluence**: beaucoup de monde.
2. **Me faire des contes**: me raconter des histoires.

MARTHA

335 Nous y avons perdu quelques recettes[1], mais gagné notre tranquillité. Et la tranquillité ne se paie jamais assez cher. Au reste,
un bon client vaut mieux qu'une pratique[2] bruyante. Ce que
nous recherchons, c'est justement le bon client.

JAN

Mais… *(il hésite),* quelquefois, la vie ne doit pas être gaie pour
340 vous ? Ne vous sentez-vous pas très seules ?

MARTHA, *lui faisant face brusquement.*

Écoutez, je vois qu'il me faut vous donner un avertissement.
Le voici. En entrant ici, vous n'avez que les droits d'un client.
En revanche, vous les recevez tous. Vous serez bien servi et je
ne pense pas que vous aurez un jour à vous plaindre de notre
345 accueil. Mais vous n'avez pas à vous soucier de notre solitude,
comme vous ne devez pas vous inquiéter de nous gêner, d'être
importun ou de ne l'être pas. Prenez toute la place d'un client,
elle est à vous de droit. Mais n'en prenez pas plus.

JAN

Je vous demande pardon. Je voulais vous marquer ma sympathie,
350 et mon intention n'était pas de vous fâcher. Il m'a semblé simplement que nous n'étions pas si étrangers que cela l'un à l'autre.

MARTHA

Je vois qu'il me faut vous répéter qu'il ne peut être question de
me fâcher ou de ne pas me fâcher. Il me semble que vous vous
obstinez à prendre un ton qui ne devrait pas être le vôtre, et
355 j'essaie de vous le montrer. Je vous assure bien que je le fais sans
me fâcher. N'est-ce pas notre avantage, à tous les deux, de garder

---

1. **Quelques recettes**: quelques revenus.
2. **Pratique**: clientèle.

nos distances ? Si vous continuiez à ne pas tenir le langage d'un client, cela est fort simple, nous refuserions de vous recevoir. Mais si, comme je le pense, vous voulez bien comprendre que deux femmes qui vous louent une chambre ne sont pas forcées de vous admettre, par surcroît, dans leur intimité[1], alors, tout ira bien.

JAN

Cela est évident. Je suis impardonnable de vous avoir laissé croire que je pouvais m'y tromper.

MARTHA

Il n'y a aucun mal à cela. Vous n'êtes pas le premier qui ait essayé de prendre ce ton. Mais j'ai toujours parlé assez clairement pour que la confusion devînt impossible.

JAN

Vous parlez clairement, en effet, et je reconnais que je n'ai plus rien à dire… pour le moment…

MARTHA

Pourquoi ? Rien ne vous empêche de prendre le langage des clients.

JAN

Quel est ce langage ?

MARTHA

La plupart nous parlaient de tout, de leurs voyages ou de politique, sauf de nous-mêmes. C'est ce que nous demandons. Il est même arrivé que certains nous aient parlé de leur propre vie et de ce qu'ils étaient. Cela était dans l'ordre[2]. Après tout,

---

1. **Vous admettre, par surcroît, dans leur intimité** : nouer, en plus, des relations avec vous.
2. **Dans l'ordre** : dans l'ordre des choses, naturel.

parmi les devoirs pour lesquels nous sommes payées, entre celui d'écouter. Mais, bien entendu, le prix de pension ne peut pas comprendre l'obligation pour l'hôtelier de répondre aux questions. Ma mère le fait quelquefois par indifférence, moi, je m'y refuse
380 par principe. Si vous avez bien compris cela, non seulement nous serons d'accord, mais vous vous apercevrez que vous avez encore beaucoup de choses à nous dire et vous découvrirez qu'il y a du plaisir, quelquefois, à être écouté quand on parle de soi-même.

Jan

Malheureusement, je ne saurai pas très bien parler de moi-même.
385 Mais, après tout, cela n'est pas utile. Si je ne fais qu'un court séjour, vous n'aurez pas à me connaître. Et si je reste longtemps, vous aurez tout le loisir, sans que je parle, de savoir qui je suis.

Martha

J'espère seulement que vous ne me garderez pas une rancune inutile[1] de ce que je viens de dire. J'ai toujours trouvé de l'avan-
390 tage à montrer les choses telles qu'elles sont, et je ne pouvais vous laisser continuer sur un ton qui, pour finir, aurait gâté[2] nos rapports. Ce que je dis est raisonnable. Puisque, avant ce jour, il n'y avait rien de commun entre nous, il n'y a vraiment aucune raison pour que, tout d'un coup, nous nous trouvions une intimité.

Jan

395 Je vous ai déjà pardonné. Je sais, en effet, que l'intimité ne s'improvise pas. Il faut y mettre du temps. Si, maintenant, tout vous semble clair entre nous, il faut bien que je m'en réjouisse.

Entre la mère.

---

1. Que vous ne me garderez pas une rancune inutile: que vous ne m'en voudrez pas inutilement.
2. Gâté: altéré, dégradé.

Scène 6

LA MÈRE

Bonjour, monsieur. Votre chambre est prête.

JAN

Je vous remercie beaucoup, madame.

La mère s'assied.

LA MÈRE, *à Martha.*

400 Tu as rempli la fiche?

MARTHA

Oui.

LA MÈRE

Est-ce que je puis voir? Vous m'excuserez, monsieur, mais la police est stricte. Ainsi, tenez, ma fille a omis[1] de noter si vous êtes venu ici pour des raisons de santé, pour votre travail ou en
405 voyage touristique.

JAN

Je suppose qu'il s'agit de tourisme.

LA MÈRE

À cause du cloître[2] sans doute? On dit beaucoup de bien de notre cloître.

JAN

On m'en a parlé, en effet. J'ai voulu aussi revoir cette région que
410 j'ai connue autrefois, et dont j'avais gardé le meilleur souvenir.

---

1. A omis: a oublié.
2. Cloître: partie d'un bâtiment religieux constituée d'une cour entourée de galeries couvertes.

MARTHA

Vous y avez habité ?

JAN

Non, mais il y a très longtemps, j'ai eu l'occasion de passer par ici. Je ne l'ai pas oublié.

LA MÈRE

C'est pourtant un bien petit village que le nôtre.

JAN

415 C'est vrai. Mais je m'y plais beaucoup. Et, depuis que j'y suis, je me sens un peu chez moi.

LA MÈRE

Vous allez y rester longtemps ?

JAN

Je ne sais pas. Cela vous paraît bizarre, sans doute. Mais, vraiment, je ne sais pas. Pour rester dans un endroit, il faut avoir ses raisons
420 – des amitiés, l'affection de quelques êtres. Sinon, il n'y a pas de motif de rester là plutôt qu'ailleurs. Et, comme il est difficile de savoir si l'on sera bien reçu, il est naturel que j'ignore encore ce que je ferai.

MARTHA

Cela ne veut pas dire grand-chose.

JAN

425 Oui, mais je ne sais pas mieux m'exprimer.

LA MÈRE

Allons, vous serez vite fatigué.

JAN

Non, j'ai un cœur fidèle, et je me fais vite des souvenirs, quand on m'en donne l'occasion.

MARTHA, *avec impatience.*

Le cœur n'a rien à faire ici.

JAN, *sans paraître avoir entendu, à La mère.*

430 Vous paraissez bien désabusée[1]. Il y a donc si longtemps que vous habitez cet hôtel?

LA MÈRE

Il y a des années et des années de cela. Tellement d'années que je n'en sais plus le commencement et que j'ai oublié ce que j'étais alors. Celle-ci est ma fille.

MARTHA

435 Mère, vous n'avez pas de raison de raconter ces choses.

LA MÈRE

C'est vrai, Martha.

JAN, *très vite.*

Laissez donc. Je comprends si bien votre sentiment, madame. C'est celui qu'on trouve au bout d'une vie de travail. Mais peut-être tout serait-il changé si vous aviez été aidée comme doit l'être

440 toute femme et si vous aviez reçu l'appui d'un bras d'homme.

LA MÈRE

Oh! je l'ai reçu dans le temps, mais il y avait trop à faire. Mon mari et moi y suffisions à peine. Nous n'avions même pas le temps de penser l'un à l'autre et, avant même qu'il fût mort, je crois que je l'avais oublié.

---

1. **Désabusée**: maussade, qui a perdu ses illusions.

JAN

445 Oui, je comprends cela. Mais… *(avec un temps d'hésitation)* un
fils qui vous aurait prêté son bras, vous ne l'auriez peut-être pas
oublié?

MARTHA

Mère, vous savez que nous avons beaucoup à faire.

LA MÈRE

Un fils! Oh! je suis une trop vieille femme! Les vieilles femmes
450 désapprennent même d'aimer leur fils. Le cœur s'use, monsieur.

JAN

Il est vrai. Mais je sais qu'il n'oublie jamais.

MARTHA, *se plaçant entre eux et avec décision.*

Un fils qui entrerait ici trouverait ce que n'importe quel client
est assuré d'y trouver: une indifférence bienveillante[1]. Tous les
hommes que nous avons reçus s'en sont accommodés. Ils ont
455 payé leur chambre et reçu une clé. Ils n'ont pas parlé de leur
cœur. *(Un temps.)* Cela simplifiait notre travail.

LA MÈRE

Laisse cela.

JAN, *réfléchissant.*

Et sont-ils restés longtemps ainsi?

MARTHA

Quelques-uns très longtemps. Nous avons fait ce qu'il fallait pour
460 qu'ils restent. D'autres, qui étaient moins riches, sont partis le
lendemain. Nous n'avons rien fait pour eux.

---

1. **Bienveillante**: aimable, qui veut du bien.

JAN

J'ai beaucoup d'argent et je désire rester un peu dans cet hôtel, si vous m'y acceptez. J'ai oublié de vous dire que je pouvais payer d'avance.

LA MÈRE

465 Oh! ce n'est pas cela que nous demandons!

MARTHA

Si vous êtes riche, cela est bien. Mais ne parlez plus de votre cœur. Nous ne pouvons rien pour lui. J'ai failli vous demander de partir, tant votre ton me lassait. Prenez votre clé, assurez-vous de votre chambre. Mais sachez que vous êtes dans une maison
470 sans ressources pour le cœur. Trop d'années grises ont passé sur ce petit village et sur nous. Elles ont peu à peu refroidi cette maison. Elles nous ont enlevé le goût de la sympathie. Je vous le dis encore, vous n'aurez rien ici qui ressemble à de l'intimité. Vous aurez ce que nous réservons toujours à nos rares voyageurs,
475 et ce que nous leur réservons n'a rien à voir avec les passions du cœur. Prenez votre clé (*elle la lui tend*), et n'oubliez pas ceci: nous vous accueillons, par intérêt, tranquillement, et, si nous vous conservons, ce sera par intérêt, tranquillement.

Il prend la clé; elle sort, il la regarde sortir.

LA MÈRE

N'y faites pas trop attention, monsieur. Mais il est vrai qu'il y a
480 des sujets qu'elle n'a jamais pu supporter.

Elle se lève et il veut l'aider.

Laissez, mon fils, je ne suis pas infirme. Voyez ces mains qui sont encore fortes. Elles pourraient maintenir les jambes d'un homme.

Un temps. Il regarde sa clé.

Ce sont mes paroles qui vous donnent à réfléchir?

40

JAN

485 Non, pardonnez-moi, je vous ai à peine entendue. Mais pourquoi m'avez-vous appelé « mon fils » ?

LA MÈRE

Oh ! je suis confuse ! Ce n'était pas par familiarité, croyez-le. C'était une manière de parler.

JAN

Je comprends. *(Un temps.)* Puis-je monter dans ma chambre ?

LA MÈRE

490 Allez, monsieur. Le vieux domestique vous attend dans le couloir.

Il la regarde et veut parler.

Avez-vous besoin de quelque chose ?

JAN, *hésitant.*

Non, madame. Mais… je vous remercie de votre accueil.

Scène 7

La mère est seule. Elle se rassied, pose ses mains
sur la table, et les contemple.

LA MÈRE

Pourquoi lui avoir parlé de mes mains ? Si, pourtant, il les avait regardées, peut-être aurait-il compris ce que lui disait Martha.
495 Il aurait compris, il serait parti. Mais il ne comprend pas. Mais il veut mourir. Et moi je voudrais seulement qu'il s'en aille pour que je puisse, encore ce soir, me coucher et dormir. Trop vieille ! Je suis trop vieille pour refermer à nouveau mes mains autour de ses chevilles et contenir le balancement de son corps, tout le

500 long du chemin qui mène à la rivière. Je suis trop vieille pour ce dernier effort qui le jettera dans l'eau et qui me laissera les bras ballants, la respiration coupée et les muscles noués, sans force pour essuyer sur ma figure l'eau qui aura jailli sous le poids du dormeur. Je suis trop vieille ! Allons, allons ! la victime est parfaite.
505 Je dois lui donner le sommeil que je souhaitais pour ma propre nuit. Et c'est…

Entre brusquement Martha.

Scène 8

Martha

À quoi rêvez-vous encore ? Vous savez pourtant que nous avons beaucoup à faire.

La mère

Je pensais à cet homme. Ou plutôt, je pensais à moi.

Martha

510 Il vaut mieux penser à demain. Soyez positive.

La mère

C'est le mot de ton père, Martha, je le reconnais. Mais je voudrais être sûre que c'est la dernière fois que nous serons obligées d'être positives. Bizarre ! Lui disait cela pour chasser la peur du gendarme et toi, tu en uses seulement pour dissiper la petite
515 envie d'honnêteté qui vient de me venir.

Martha

Ce que vous appelez une envie d'honnêteté, c'est seulement une envie de dormir. Suspendez[1] votre fatigue jusqu'à demain et, ensuite, vous pourrez vous laisser aller.

---

1. Suspendez : reportez.

LA MÈRE

Je sais que tu as raison. Mais avoue que ce voyageur ne ressemble
520 pas aux autres.

MARTHA

Oui, il est trop distrait, il exagère l'allure de l'innocence. Que
deviendrait le monde si les condamnés se mettaient à confier au
bourreau leurs peines de cœur? C'est un principe qui n'est pas
bon. Et puis son indiscrétion m'irrite. Je veux en finir.

LA MÈRE

525 C'est cela qui n'est pas bon. Auparavant, nous n'apportions ni
colère ni compassion[1] à notre travail; nous avions l'indifférence
qu'il fallait. Aujourd'hui, moi, je suis fatiguée, et te voilà irritée.
Faut-il donc s'entêter quand les choses se présentent mal et passer
par-dessus tout pour un peu plus d'argent?

MARTHA

530 Non, pas pour l'argent, mais pour l'oubli de ce pays et pour une
maison devant la mer. Si vous êtes fatiguée de votre vie, moi, je suis
lasse à mourir de cet horizon fermé, et je sens que je ne pourrai
pas y vivre un mois de plus. Nous sommes toutes deux excédées[2]
de cette auberge, et vous, qui êtes vieille, voulez seulement fermer
535 les yeux et oublier. Mais moi, qui me sens encore dans le cœur
un peu des désirs de mes vingt ans, je veux faire en sorte de les
quitter pour toujours, même si, pour cela, il faut entrer un peu
plus avant dans la vie que nous voulons déserter. Et il faut bien
que vous m'y aidiez, vous qui m'avez mise au monde dans un
540 pays de nuages et non sur une terre de soleil!

---

1. Compassion: pitié.
2. Nous sommes [...] excédées: nous ne pouvons plus supporter, nous en avons
assez.

LA MÈRE

Je ne sais pas, Martha, si, dans un sens, il ne vaudrait pas mieux, pour moi, être oubliée comme je l'ai été par ton frère, plutôt que de m'entendre parler sur ce ton.

MARTHA

Vous savez bien que je ne voulais pas vous peiner. *(Un temps, et farouche[1].)* Que ferais-je sans vous à mes côtés, que deviendrais-je loin de vous ? Moi, du moins, je ne saurais pas vous oublier et, si le poids de cette vie me fait quelquefois manquer au respect que je vous dois, je vous en demande pardon.

LA MÈRE

Tu es une bonne fille et j'imagine aussi qu'une vieille femme est parfois difficile à comprendre. Mais je veux profiter de ce moment pour te dire cela que, depuis tout à l'heure, j'essaie de te dire : pas ce soir…

MARTHA

Eh quoi ! nous attendrons demain ? Vous savez bien que nous n'avons jamais procédé ainsi, qu'il ne faut pas lui laisser le temps de voir du monde et qu'il faut agir pendant que nous l'avons sous la main.

LA MÈRE

Je ne sais pas. Mais pas ce soir. Laissons-lui cette nuit. Donnons-nous ce sursis[2]. C'est par lui peut-être que nous nous sauverons.

MARTHA

Nous n'avons que faire d'être sauvées, ce langage est ridicule. Tout ce que vous pouvez espérer, c'est d'obtenir, en travaillant ce soir, le droit de vous endormir ensuite.

---

1. **Farouche** : sauvage.
2. **Sursis** : délai.

LA MÈRE

C'était cela que j'appelais être sauvée : dormir.

MARTHA

Alors, je vous le jure, ce salut est entre nos mains. Mère, nous devons nous décider. Ce sera ce soir ou ce ne sera pas.

Un quiz pour commencer

Cochez les bonnes réponses.

1 *Où la pièce se déroule-t-elle ?*
- ☐ Dans la maison de Maria.
- ☐ Dans une auberge.
- ☐ Dans une chambre d'hôtel.

2 *Pourquoi Martha et sa mère assassinent-elles les voyageurs qui passent dans leur auberge ?*
- ☐ Pour leur plaisir.
- ☐ Parce qu'elles détestent les étrangers.
- ☐ Pour les dépouiller de leur argent.

3 *De quelle manière s'y prennent-elles ?*
- ☐ Elles les étouffent avec un oreiller.
- ☐ Elles leur font boire un thé contenant un somnifère puis elles les jettent dans la rivière.
- ☐ Elles les poignardent avant de les jeter dans la rivière.

4 *Pourquoi Jan est-il revenu voir sa mère et sa sœur ?*

- ☐ Parce qu'il pense devoir les protéger.
- ☐ Parce qu'il ne supporte plus le pays d'où il vient.
- ☐ Parce que son épouse vient de le quitter.

5 *Qui est Maria ?*

- ☐ La sœur de Martha.
- ☐ L'épouse de Jan.
- ☐ La fille de Jan.

6 *Comment Martha obtient-elle des informations sur Jan ?*

- ☐ Elle prétend devoir remplir une fiche de renseignements pour l'administration du canton.
- ☐ Elle affirme vouloir faire plus ample connaissance et l'interroge sur sa vie privée.
- ☐ Elle déclare avoir besoin d'informations précises sur les visiteurs de l'auberge en vue d'écrire un livre.

7 *Comment le domestique se comporte-t-il durant cet acte ?*

- ☐ Il est extrêmement serviable et apporte une bière à Jan.
- ☐ Il est agaçant et interrompt systématiquement Martha et la mère.
- ☐ Il a un comportement très étrange et ne dit pas un mot.

8 *Quel personnage de la pièce souhaite retarder le crime à la fin de l'acte I ?*

- ☐ La mère.
- ☐ Martha.
- ☐ Maria.

Des questions pour aller plus loin

→ *Découvrir l'acte d'exposition de la tragédie*

L'auberge du crime

1 Dans la première scène, qu'apprend le spectateur sur les personnages de Martha et de sa mère ?

2 Que planifient de faire les deux femmes à la scène 1 ? Est-ce la première fois qu'elles décident de commettre un tel acte ? Justifiez votre réponse par une citation précise du texte.

3 Relisez la fin de l'acte I et relevez, d'un côté, les raisons pour lesquelles Martha veut précipiter le crime et, de l'autre, les raisons pour lesquelles la mère souhaite, au contraire, le retarder.

4 Dans une scène de l'acte I, un personnage est seul sur scène et se parle à lui-même. De quelle scène s'agit-il ? Comment appelle-t-on ce genre de réplique au théâtre ?

5 Qu'éprouve le spectateur à la fin de ce premier acte ? Dans quelle atmosphère est-il plongé ?

Le rêve de Martha

6 Quel rêve Martha et sa mère poursuivent-elles en assassinant les riches voyageurs qui séjournent dans leur auberge ?

7 Lorsque les deux femmes parlent de leur pays rêvé, elles prétendent que le soleil « dévor[e] tout » et qu'il « mang[e] jusqu'aux âmes » (l. 98). Quelle figure de style est employée ici pour parler du soleil ?

8 Pour quelle raison Martha veut-elle fuir son pays natal ? Relevez les termes et expressions qui le prouvent. Puis retrouvez, à la fin de l'acte I (p. 43), deux expressions qui mettent en valeur l'opposition entre son pays natal et le pays dont elle rêve.

Le retour difficile de « l'enfant prodigue »

9 Quel choix fait Jan pour retrouver sa mère et sa sœur ? Que pensez-vous qu'il puisse se passer par la suite ?

10 B2i « Et moi qui attendais un peu le repas du prodigue, on m'a donné de la bière contre mon argent » (l. 136). Cherchez, dans un dictionnaire ou sur Internet, l'histoire de la « parabole du fils prodigue ». Résumez-la en quelques lignes et expliquez en quoi ce qui s'est passé s'oppose à ce que Jan avait espéré.

11 Que veut dire Maria lorsqu'elle répète à son époux que « [sa] méthode n'est pas bonne » (l. 241) ? Que lui conseille-t-elle de faire ?

12 Pour quelle raison Martha s'énerve-t-elle dans la scène 5 ? Expliquez en quoi sa réaction attriste Jan et l'empêche de dire qui il est.

13 Dans la scène 6, Jan est, à deux reprises, sur le point de révéler son identité. Retrouvez ces passages et expliquez-les. Dans les deux cas, dites ce qui le dissuade de passer à l'acte.

✔ *Rappelez-vous !*

• Les premières scènes d'une pièce de théâtre constituent **l'exposition** de la pièce. Elles fournissent au spectateur les informations nécessaires à la compréhension de l'intrigue.

• Au début du *Malentendu*, Jan revient chez lui après vingt ans d'absence. Cependant, il décide de **ne pas révéler immédiatement son identité** à sa mère et à sa sœur. Or, pendant qu'il les observe, les deux femmes préparent son assassinat.

De la lecture à l'écriture

Des mots pour mieux écrire

1 Complétez les phrases suivantes avec les mots qui conviennent. Accordez-les si nécessaire.

| Las | Excédé | Illusion | Démuni |

a. Martha est une jeune fille triste, qui ne se fait plus aucune
_____ sur la vie.

b. La mère de Jan est si _____ qu'elle n'a même plus la force de penser au pays dont elle a tant rêvé.

c. Martha est _____ par le comportement de sa mère: elle lui reproche de ne pas prendre ses responsabilités et de vouloir à tout prix retarder l'assassinat de Jan.

d. Maria reproche à son époux de la tenir à l'écart: elle se sent seule et _____ .

2 Donnez des mots de la même famille que le verbe « reconnaître » et précisez la nature de chacun d'eux.

À vous d'écrire

1 Imaginez que Jan ait suivi les conseils de son épouse Maria et qu'à la scène 6, il révèle son identité à sa mère et à sa sœur. Rédigez le dialogue entre Jan, la mère et Martha.

Consigne. Votre dialogue, d'une vingtaine de répliques, respectera la présentation d'une scène de théâtre. Vous veillerez à mettre en valeur les réactions contrastées de la mère et de Martha.

2 Imaginez qu'une panne de courant soit survenue lors d'une représentation du *Malentendu* et ait interrompu la pièce à la fin du premier acte. Un spectateur, interviewé à la sortie du théâtre, révèle ses premières impressions et ses hypothèses quant à la suite de l'histoire.

Consigne. Votre texte, d'une quinzaine de lignes, sera écrit à la première personne du singulier et mettra en évidence ce que ressent le spectateur après ce premier acte énigmatique.

Du texte à l'image

La mère (Francine Bergé), Martha (Farida Rahouadj) et Jan (Éric Perez) dans la mise en scène d'Olivier Desbordes, festival de Figeac, 2013.
➡ Image reproduite en début d'ouvrage, au verso de la couverture, en bas.

◉ Lire l'image

1 Décrivez précisément la photographie (décor, personnages, costumes, couleurs dominantes). Où la scène se déroule-t-elle ? Relevez l'indice qui le prouve.

2 À votre avis, que font les deux femmes ?

3 À quoi voit-on que le personnage masculin vient juste d'arriver ?

📄 Comparer le texte et l'image

4 Identifiez les personnages de la pièce représentés sur la photographie. À quel passage de l'acte I peut-elle correspondre ?

5 Observez le placement des trois comédiens sur la scène : en quoi est-il révélateur des différentes relations qui unissent les personnages ?

6 Selon vous, pourquoi le personnage masculin est-il représenté de dos ? Pour répondre, pensez à ce qu'il souhaite dissimuler aux autres personnages présents sur scène.

7 Quel objet présent sur la photographie n'apparaît pas dans la pièce d'Albert Camus ? Relevez un autre élément de mise en scène qui montre qu'Olivier Desbordes s'est approprié le texte du *Malentendu*.

À vous de créer

8 Imaginez que vous êtes Olivier Desbordes et qu'un journaliste vous interroge à l'issue de la première représentation du *Malentendu*. Il vous demande notamment de décrire le décor de la pièce et de justifier vos choix de mise en scène. En vous appuyant sur cette photographie ainsi que sur celle reproduite en fin d'ouvrage, au bas du verso de la couverture, rédigez cette interview en une vingtaine de lignes. N'oubliez pas de respecter l'alternance des questions et des réponses.

ACTE II

Scène 1

La chambre. Le soir commence à entrer dans la pièce.
Jan regarde par la fenêtre.

JAN

565 Maria a raison, cette heure est difficile. *(Un temps.)* Que fait-elle,
que pense-t-elle dans sa chambre d'hôtel, le cœur fermé, les yeux
secs, toute nouée[1] au creux d'une chaise? Les soirs de là-bas sont
des promesses de bonheur. Mais ici, au contraire… *(Il regarde la
chambre.)* Allons, cette inquiétude est sans raisons. Il faut savoir
570 ce que l'on veut. C'est dans cette chambre que tout sera réglé.

On frappe brusquement. Entre Martha.

MARTHA

J'espère, monsieur, que je ne vous dérange pas. Je voudrais changer vos serviettes et votre eau.

JAN

Je croyais que cela était fait.

MARTHA

Non, le vieux domestique a quelquefois des distractions.

---

1. **Nouée**: recroquevillée, contractée.

JAN

575 Cela n'a pas d'importance. Mais j'ose à peine vous dire que vous ne me dérangez pas.

MARTHA

Pourquoi?

JAN

Je ne suis pas sûr que cela soit dans nos conventions.

MARTHA

Vous voyez bien que vous ne pouvez pas répondre comme tout 580 le monde.

JAN, *il sourit.*

Il faut bien que je m'y habitue. Laissez-moi un peu de temps.

MARTHA, *qui travaille.*

Vous partez bientôt. Vous n'aurez le temps de rien.

> *Il se détourne et regarde par la fenêtre. Elle l'examine. Il a*
> *toujours le dos tourné. Elle parle en travaillant.*

Je regrette, monsieur, que cette chambre ne soit pas aussi confortable que vous pourriez le désirer.

JAN

585 Elle est particulièrement propre, c'est le plus important. Vous l'avez d'ailleurs récemment transformée, n'est-ce pas?

MARTHA

Oui. Comment le voyez-vous?

JAN

À des détails.

MARTHA

En tout cas, bien des clients regrettent l'absence d'eau courante
590 et l'on ne peut pas vraiment leur donner tort. Il y a longtemps
aussi que nous voulions faire placer une ampoule électrique au-
dessus du lit. Il est désagréable, pour ceux qui lisent au lit, d'être
obligés de se lever pour tourner le commutateur[1].

JAN, *il se retourne.*

En effet, je ne l'avais pas remarqué. Mais ce n'est pas un gros ennui.

MARTHA

595 Vous êtes très indulgent. Je me félicite que les nombreuses imper-
fections de notre auberge vous soient indifférentes. J'en connais
d'autres qu'elles auraient suffi à chasser.

JAN

Malgré nos conventions, laissez-moi vous dire que vous êtes singulière. Il me semble, en effet, que ce n'est pas le rôle de l'hôtelier
600 de mettre en valeur les défectuosités[2] de son installation. On
dirait, vraiment, que vous cherchez à me persuader de partir.

MARTHA

Ce n'est pas tout à fait ma pensée. *(Prenant une décision.)* Mais il
est vrai que ma mère et moi hésitions beaucoup à vous recevoir.

JAN

J'ai pu remarquer au moins que vous ne faisiez pas beaucoup pour
605 me retenir. Mais je ne comprends pas pourquoi. Vous ne devez
pas douter que je suis solvable[3] et je ne donne pas l'impression,
j'imagine, d'un homme qui a quelque méfait à se reprocher.

---

1. **Commutateur**: interrupteur.
2. **Défectuosités**: défauts.
3. **Je suis solvable**: j'ai de quoi payer.

MARTHA

Non, ce n'est pas cela. Vous n'avez rien du malfaiteur. Notre raison est ailleurs. Nous devons quitter cet hôtel, et depuis quelque
610 temps, nous projetions chaque jour de fermer l'établissement
pour commencer nos préparatifs. Cela nous était facile, il nous
vient rarement des clients. Mais c'est avec vous que nous compre-
nons à quel point nous avions abandonné l'idée de reprendre
notre ancien métier.

JAN

615 Avez-vous donc envie de me voir partir ?

MARTHA

Je vous l'ai dit, nous hésitons et, surtout, j'hésite. En fait, tout
dépend de moi et je ne sais encore à quoi me décider.

JAN

Je ne veux pas vous être à charge, ne l'oubliez pas, et je ferai ce
que vous voudrez. Je dois dire cependant que cela m'arrangerait
620 de rester encore un ou deux jours. J'ai des affaires à mettre en
ordre, avant de reprendre mes voyages, et j'espérais trouver ici
la tranquillité et la paix qu'il me fallait.

MARTHA

Je comprends votre désir, croyez-le bien, et, si vous le voulez, j'y
penserai encore.

Un temps. Elle fait un pas indécis vers la porte.

625 Allez-vous donc retourner au pays d'où vous venez ?

JAN

Peut-être.

MARTHA

C'est un beau pays, n'est-ce pas ?

JAN, *il regarde par la fenêtre.*

Oui, c'est un beau pays.

MARTHA

On dit que, dans ces régions, il y a des plages tout à fait désertes ?

JAN

630 C'est vrai. Rien n'y rappelle l'homme. Au petit matin, on trouve sur le sable les traces laissées par les pattes des oiseaux de mer. Ce sont les seuls signes de vie. Quant aux soirs…

Il s'arrête.

MARTHA, *doucement.*

Quant aux soirs, monsieur ?

JAN

Ils sont bouleversants. Oui, c'est un beau pays.

MARTHA, *avec un nouvel accent[1].*

635 J'y ai souvent pensé. Des voyageurs m'en ont parlé, j'ai lu ce que j'ai pu. Souvent, comme aujourd'hui, au milieu de l'aigre[2] printemps de ce pays, je pense à la mer et aux fleurs de là-bas. *(Un temps, puis, sourdement[3].)* Et ce que j'imagine me rend aveugle à tout ce qui m'entoure.

Il la regarde avec attention, s'assied doucement devant elle.

---

1. **Avec un nouvel accent** : en changeant de ton.
2. **Aigre** : désagréable, dur.
3. **Sourdement** : très bas.

JAN

640 Je comprends cela. Le printemps de là-bas vous prend à la gorge. Les fleurs éclosent par milliers au-dessus des murs blancs. Si vous vous promeniez une heure sur les collines qui entourent ma ville, vous rapporteriez dans vos vêtements l'odeur de miel des roses jaunes.

Elle s'assied aussi.

MARTHA

645 Cela est merveilleux. Ce que nous appelons le printemps, ici, c'est une rose et deux bourgeons qui viennent de pousser dans le jardin du cloître. *(Avec mépris.)* Cela suffit à remuer les hommes de mon pays. Mais leur cœur ressemble à cette rose avare. Un souffle plus puissant les fanerait, ils ont le printemps qu'ils méritent.

JAN

650 Vous n'êtes pas tout à fait juste. Car vous avez aussi l'automne.

MARTHA

Qu'est-ce que l'automne ?

JAN

Un deuxième printemps, où toutes les feuilles sont comme des fleurs. *(Il la regarde avec insistance.)* Peut-être en est-il ainsi des êtres que vous verriez fleurir, si seulement vous les aidiez de 655 votre patience.

MARTHA

Je n'ai plus de patience en réserve pour cette Europe où l'automne a le visage du printemps et le printemps l'odeur de misère. Mais j'imagine avec délices cet autre pays où l'été écrase tout, où les pluies d'hiver noient les villes et où, enfin, les choses sont ce 660 qu'elles sont.

> *Un silence. Il la regarde avec de plus en plus de curiosité.*
> *Elle s'en aperçoit et se lève brusquement.*

MARTHA

Pourquoi me regardez-vous ainsi ?

JAN

Pardonnez-moi, mais puisque, en somme, nous venons de laisser nos conventions, je puis bien vous le dire : il me semble que, pour la première fois, vous venez de me tenir un langage humain.

MARTHA, *avec violence.*

665 Vous vous trompez sans doute. Si même cela était, vous n'auriez pas de raison de vous en réjouir. Ce que j'ai d'humain n'est pas ce que j'ai de meilleur. Ce que j'ai d'humain, c'est ce que je désire, et pour obtenir ce que je désire, je crois que j'écraserais tout sur mon passage.

JAN, *il sourit.*

670 Ce sont des violences que je peux comprendre. Je n'ai pas besoin de m'en effrayer puisque je ne suis pas un obstacle sur votre chemin. Rien ne me pousse à m'opposer à vos désirs.

MARTHA

Vous n'avez pas de raisons de vous y opposer, cela est sûr. Mais vous n'en avez pas non plus de vous y prêter et, dans certains 675 cas, cela peut tout précipiter.

JAN

Qui vous dit que je n'ai pas de raisons de m'y prêter ?

MARTHA

Le bon sens, et le désir où je suis de vous tenir en dehors de mes projets.

JAN

Si je comprends bien, nous voilà revenus à nos conventions.

MARTHA

680 Oui, et nous avons eu tort de nous en écarter, vous le voyez bien. Je vous remercie seulement de m'avoir parlé des pays que vous connaissez et je m'excuse de vous avoir peut-être fait perdre votre temps.

Elle est déjà près de la porte.

Je dois dire cependant que, pour ma part, ce temps n'a pas 685 été tout à fait perdu. Il a réveillé en moi des désirs qui, peut-être, s'endormaient. S'il est vrai que vous teniez à rester ici, vous avez, sans le savoir, gagné votre cause. J'étais venue presque décidée à vous demander de partir, mais, vous le voyez, vous en avez appelé à ce que j'ai d'humain, et je souhaite maintenant que vous restiez. 690 Mon goût pour la mer et les pays du soleil finira par y gagner.

Il la regarde un moment en silence.

JAN, *lentement.*

Votre langage est bien étrange. Mais je resterai, si je le puis, et si votre mère non plus n'y voit pas d'inconvénient.

MARTHA

Ma mère a des désirs moins forts que les miens, cela est naturel. Elle n'a donc pas les mêmes raisons que moi de souhaiter votre 695 présence. Elle ne pense pas assez à la mer et aux plages sauvages pour admettre qu'il faille que vous restiez. C'est une raison qui ne vaut que pour moi. Mais, en même temps, elle n'a pas de motifs assez forts à m'opposer, et cela suffit à régler la question.

JAN

Si je comprends bien, l'une de vous m'admettra par intérêt et 700 l'autre par indifférence ?

MARTHA

Que peut demander de plus un voyageur?

Elle ouvre la porte.

JAN

Il faut donc m'en réjouir. Mais sans doute comprendrez-vous que tout ici me paraisse singulier, le langage et les êtres. Cette maison est vraiment étrange.

MARTHA

705 Peut-être est-ce seulement que vous vous y conduisez de façon étrange.

Elle sort.

Scène 2

JAN, regardant vers la porte.

Peut-être, en effet… *(Il va vers le lit et s'y assied.)* Mais cette fille me donne seulement le désir de partir, de retrouver Maria et d'être encore heureux. Tout cela est stupide. Qu'est-ce que je 710 fais ici? Mais non, j'ai la charge de ma mère et de ma sœur. Je les ai oubliées trop longtemps. *(Il se lève.)* Oui, c'est dans cette chambre que tout sera réglé.
Qu'elle est froide, cependant! Je n'en reconnais rien, tout a été mis à neuf. Elle ressemble maintenant à toutes les chambres 715 d'hôtel de ces villes étrangères où des hommes seuls arrivent chaque nuit. J'ai connu cela aussi. Il me semblait alors qu'il y avait une réponse à trouver. Peut-être la recevrai-je ici. *(Il regarde audehors.)* Le ciel se couvre. Et voici maintenant ma vieille angoisse, là, au creux de mon corps, comme une mauvaise blessure que 720 chaque mouvement irrite. Je connais son nom. Elle est peur de

la solitude éternelle, crainte qu'il n'y ait pas de réponse. Et qui répondrait dans une chambre d'hôtel ?

Il s'est avancé vers la sonnette. Il hésite, puis il sonne. On n'entend rien. Un moment de silence, des pas, on frappe un coup. La porte s'ouvre. Dans l'encadrement, se tient le vieux domestique. Il reste immobile et silencieux.

JAN

Ce n'est rien. Excusez-moi. Je voulais savoir seulement si quelqu'un répondait, si la sonnerie fonctionnait.

Le vieux le regarde, puis ferme la porte. Les pas s'éloignent.

Scène 3

JAN

725   La sonnerie fonctionne, mais lui ne parle pas. Ce n'est pas une réponse. *(Il regarde le ciel.)* Que faire ?

On frappe deux coups. La sœur entre avec un plateau.

Scène 4

JAN

Qu'est-ce que c'est ?

MARTHA

Le thé que vous avez demandé.

Jan

Je n'ai rien demandé.

Martha

730 Ah? Le vieux aura mal entendu. Il comprend souvent à moitié. *(Elle met le plateau sur la table. Jan fait un geste.)* Dois-je le remporter?

Jan

Non, non, je vous remercie au contraire.

Elle le regarde. Elle sort.

Scène 5

Il prend la tasse, la regarde, la pose à nouveau.

Jan

Un verre de bière, mais contre mon argent; une tasse de thé, et par mégarde. *(Il prend la tasse et la tient un moment en silence. Puis*
735 *sourdement.)* Ô mon Dieu! donnez-moi de trouver mes mots ou faites que j'abandonne cette vaine[1] entreprise pour retrouver l'amour de Maria. Donnez-moi alors la force de choisir ce que je préfère et de m'y tenir. *(Il rit.)* Allons, faisons honneur au festin du prodigue!

Il boit. On frappe fortement à la porte.

740 Eh bien?

La porte s'ouvre. Entre la mère.

---

1. **Vaine**: inutile, sans espoir.

Scène 6

LA MÈRE

Pardonnez-moi, monsieur, ma fille me dit qu'elle vous a donné
du thé.

JAN

Vous voyez.

LA MÈRE

Vous l'avez bu?

JAN

745 Oui, pourquoi?

LA MÈRE

Excusez-moi, je vais enlever le plateau.

JAN, *il sourit.*

Je regrette de vous avoir dérangée.

LA MÈRE

Ce n'est rien. En réalité, ce thé ne vous était pas destiné.

JAN

Ah! c'est donc cela. Votre fille me l'a apporté sans que je l'aie
750 commandé.

LA MÈRE, *avec une sorte de lassitude.*

Oui, c'est cela. Il eût mieux valu…

JAN, *surpris.*

Je le regrette, croyez-le, mais votre fille a voulu me le laisser
quand même et je n'ai pas cru…

La **mère**

Je le regrette aussi. Mais ne vous excusez pas. Il s'agit seulement
755 d'une erreur.

Elle range le plateau et va sortir.

Jan

Madame !

La **mère**

Oui.

Jan

Je viens de prendre une décision : je crois que je partirai ce soir,
après le dîner. Naturellement, je vous paierai la chambre.

Elle le regarde en silence.

760   Je comprends que vous paraissiez surprise. Mais ne croyez pas
surtout que vous soyez responsable de quelque chose. Je ne me
sens pour vous que des sentiments de sympathie, et même de
grande sympathie. Mais, pour être sincère, je ne suis pas à mon
aise ici, je préfère ne pas prolonger mon séjour.

La **mère**, *lentement.*

765 Cela ne fait rien, monsieur. En principe, vous êtes tout à fait libre.
Mais, d'ici le dîner, vous changerez peut-être d'avis. Quelquefois,
on obéit à l'impression du moment et puis les choses s'arrangent
et l'on finit par s'habituer.

Jan

Je ne crois pas, madame. Je ne voudrais cependant pas que vous
770 vous imaginiez que je pars mécontent. Au contraire, je vous suis
très reconnaissant de m'avoir accueilli comme vous l'avez fait. *(Il
hésite.)* Il m'a semblé sentir chez vous une sorte de bienveillance
à mon égard.

LA MÈRE

C'était tout à fait naturel, monsieur. Je n'avais pas de raisons
775 personnelles de vous marquer de l'hostilité.

JAN, *avec une émotion contenue.*

Peut-être, en effet. Mais, si je vous dis cela, c'est que je désire
vous quitter en bons termes. Plus tard, peut-être, je reviendrai.
J'en suis même sûr. Mais, pour l'instant, j'ai le sentiment de
m'être trompé et de n'avoir rien à faire ici. Pour tout vous dire,
780 j'ai l'impression pénible que cette maison n'est pas la mienne.

Elle le regarde toujours.

LA MÈRE

Oui, bien sûr. Mais, d'ordinaire, ce sont des choses qu'on sent
tout de suite.

JAN

Vous avez raison. Voyez-vous, je suis un peu distrait. Et puis ce
n'est jamais facile de revenir dans un pays que l'on a quitté depuis
785 longtemps. Vous devez comprendre cela.

LA MÈRE

Je vous comprends, monsieur, et j'aurais voulu que les choses
s'arrangent pour vous. Mais je crois que, pour notre part, nous
ne pouvons rien faire.

JAN

Oh! cela est sûr et je ne vous reproche rien. Vous êtes seulement
790 les premières personnes que je rencontre depuis mon retour et
il est naturel que je sente d'abord avec vous les difficultés qui
m'attendent. Bien entendu, tout vient de moi, je suis encore
dépaysé.

66

LA MÈRE

Quand les choses s'arrangent mal, on ne peut rien y faire. Dans
un certain sens, cela m'ennuie aussi que vous ayez décidé de
partir. Mais je me dis qu'après tout, je n'ai pas de raisons d'y
attacher de l'importance.

JAN

C'est beaucoup déjà que vous partagiez mon ennui et que vous
fassiez l'effort de me comprendre. Je ne sais pas si je saurais bien
vous exprimer à quel point ce que vous venez de dire me touche
et me fait plaisir. *(Il a un geste vers elle.)* Voyez-vous…

LA MÈRE

C'est notre métier de nous rendre agréables à tous nos clients.

JAN, *découragé.*

Vous avez raison. *(Un temps.)* En somme, je vous dois seulement
des excuses et, si vous le jugez bon, un dédommagement[1]…

*Il passe sa main sur son front. Il semble plus fatigué.
Il parle moins facilement.*

Vous avez pu faire des préparatifs, engager des frais, et il est
tout à fait naturel…

LA MÈRE

Nous n'avons certes pas de dédommagement à vous demander.
Ce n'est pas pour nous que je regrettais votre incertitude, c'est
pour vous.

JAN, *il s'appuie à la table.*

Oh! cela ne fait rien. L'essentiel est que nous soyons d'accord
et que vous ne gardiez pas de moi un trop mauvais souvenir. Je

---

1. **Dédommagement**: compensation financière.

n'oublierai pas votre maison, croyez-le bien, et j'espère que, le jour où j'y reviendrai, je serai dans de meilleures dispositions.

> *Elle marche sans un mot vers la porte.*

JAN

Madame !

> *Elle se retourne. Il parle avec difficulté, mais finit plus aisément qu'il n'a commencé.*

815   Je voudrais… *(Il s'arrête.)* Pardonnez-moi, mais mon voyage m'a fatigué. *(Il s'assied sur le lit.)* Je voudrais, du moins, vous remercier… Je tiens aussi à ce que vous le sachiez, ce n'est pas comme un hôte indifférent que je quitterai cette maison.

LA MÈRE

Je vous en prie, monsieur.

> *Elle sort.*

Scène 7

> *Il la regarde sortir. Il fait un geste, mais donne, en même temps, des signes de fatigue. Il semble céder à la lassitude et s'accoude à l'oreiller.*

JAN

820   Je reviendrai demain avec Maria, et je dirai « C'est moi. » Je les rendrai heureuses. Tout cela est évident. Maria avait raison. *(Il soupire, s'étend à moitié.)* Oh ! je n'aime pas ce soir où tout est si lointain. *(Il est tout à fait couché, il dit des mots qu'on n'entend pas, d'une voix à peine perceptible.)* Oui ou non ?

> *Il remue. Il dort. La scène est presque dans la nuit. Long silence. La porte s'ouvre. Entrent les deux femmes avec une lumière. Le vieux domestique les suit.*

Scène 8

MARTHA, *après avoir éclairé le corps,*
d'une voix étouffée.

825 Il dort.

LA MÈRE, *de la même voix, mais qu'elle élève peu à peu.*

Non, Martha! Je n'aime pas cette façon de me forcer la main.
Tu me traînes à cet acte. Tu commences, pour m'obliger à finir.
Je n'aime pas cette façon de passer par-dessus mon hésitation.

MARTHA

C'est une façon de tout simplifier. Dans le trouble où vous étiez,
830 c'était à moi de vous aider en agissant.

LA MÈRE

Je sais bien qu'il fallait que cela finisse. Il n'empêche. Je n'aime
pas cela.

MARTHA

Allons, pensez plutôt à demain et faisons vite.

Elle fouille le veston et en tire un portefeuille dont elle compte les
billets. Elle vide toutes les poches du dormeur. Pendant cette opération,
le passeport tombe et glisse derrière le lit. Le vieux domestique va le
ramasser sans que les femmes le voient et se retire.

MARTHA

Voilà. Tout est prêt. Dans un instant, les eaux de la rivière seront
835 pleines. Descendons. Nous viendrons le chercher quand nous
entendrons l'eau couler par-dessus le barrage. Venez!

LA MÈRE, *avec calme.*

Non, nous sommes bien ici.

Elle s'assied.

MARTHA

Mais… *(Elle regarde sa mère, puis avec défi.)* Ne croyez pas que cela m'effraie. Attendons ici.

LA MÈRE

840 Mais oui, attendons. Attendre est bon, attendre est reposant. Tout à l'heure, il faudra le porter tout le long du chemin, jusqu'à la rivière. Et d'avance j'en suis fatiguée, d'une fatigue tellement vieille que mon sang ne peut plus la digérer. *(Elle oscille sur elle-même comme si elle dormait à moitié.)* Pendant ce temps, lui ne se
845 doute de rien. Il dort. Il en a terminé avec ce monde. Tout lui sera facile, désormais. Il passera seulement d'un sommeil peuplé d'images à un sommeil sans rêves. Et ce qui, pour tout le monde, est un affreux arrachement ne sera pour lui qu'un long dormir.

MARTHA, *avec défi.*

Réjouissons-nous donc ! Je n'avais pas de raisons de le haïr, et
850 je suis heureuse que la souffrance au moins lui soit épargnée. Mais… il me semble que les eaux montent. *(Elle écoute, puis sourit.)* Mère, mère, tout sera fini bientôt.

LA MÈRE, *même jeu.*

Oui, tout sera fini. Les eaux montent. Pendant ce temps, lui ne se doute de rien. Il dort. Il ne connaît plus la fatigue du travail
855 à décider, du travail à terminer. Il dort, il n'a plus à se raidir, à se forcer, à exiger de lui-même ce qu'il ne peut pas faire. Il ne porte plus la croix de cette vie intérieure qui proscrit[1] le repos, la distraction, la faiblesse… Il dort et ne pense plus, il n'a plus de devoirs ni de tâches, non, non, et moi, vieille et fatiguée, oh !

---

1. **Proscrit** : interdit.

860   je l'envie de dormir maintenant et de devoir mourir bientôt.
(Silence.) Tu ne dis rien, Martha?

MARTHA

Non. J'écoute. J'attends le bruit des eaux.

LA MÈRE

Dans un moment. Dans un moment seulement. Oui, encore un
moment. Pendant ce temps, au moins, le bonheur est encore
865   possible.

MARTHA

Le bonheur sera possible ensuite. Pas avant.

LA MÈRE

Savais-tu, Martha, qu'il voulait partir ce soir?

MARTHA

Non, je ne le savais pas. Mais, le sachant, j'aurais agi de même.
Je l'avais décidé.

LA MÈRE

870   Il me l'a dit tout à l'heure, et je ne savais que lui répondre.

MARTHA

Vous l'avez donc vu?

LA MÈRE

Je suis montée ici, pour l'empêcher de boire. Mais il était trop tard.

MARTHA

Oui, il était trop tard! Et puisqu'il faut vous le dire, c'est lui qui
m'y a décidée. J'hésitais. Mais il m'a parlé des pays que j'attends

875 et, pour avoir su me toucher, il m'a donné des armes contre lui.
C'est ainsi que l'innocence est récompensée.

La mère

Pourtant, Martha, il avait fini par comprendre. Il m'a dit qu'il
sentait que cette maison n'était pas la sienne.

Martha, *avec force et impatience.*

Et cette maison, en effet, n'est pas la sienne, mais c'est qu'elle
880 n'est celle de personne. Et personne n'y trouvera jamais l'abandon
ni la chaleur. S'il avait compris cela plus vite, il se serait épargné
et nous aurait évité d'avoir à lui apprendre que cette chambre
est faite pour qu'on y dorme et ce monde pour qu'on y meure.
Assez maintenant, nous… *(On entend au loin le bruit des eaux.)*
885 Écoutez, l'eau coule par-dessus le barrage. Venez, mère, et pour
l'amour de ce Dieu que vous invoquez quelquefois, finissons-en.

La mère fait un pas vers le lit.

La mère

Allons! Mais il me semble que cette aube n'arrivera jamais.

72

Un quiz pour commencer

Cochez les bonnes réponses.

1 *Sur quels défauts de la chambre Martha attire-t-elle l'attention de Jan ?*

☐ Sur l'absence de draps et de couvertures.

☐ Sur l'absence de commodités et d'électricité.

☐ Sur l'absence d'eau courante et d'une ampoule électrique au-dessus du lit.

2 *Qu'est-ce qui persuade Martha de tuer Jan, alors qu'elle hésitait à lui demander de partir ?*

☐ Sa haine pour un frère qui l'a abandonnée quand elle était enfant.

☐ Sa jalousie à l'égard d'un frère qui a connu le bonheur.

☐ L'évocation de la mer et des pays qui la font tant rêver.

3 *Qu'apporte-t-elle à Jan ?*

☐ Un thé dans lequel elle a versé un somnifère.

☐ Un café sucré.

☐ Un verre de bière avec du poison.

4 *Quelle décision Jan prend-il à la suite de sa conversation avec Martha ?*

☐ Il décide de partir avant le dîner.

☐ Il décide de partir après le dîner.

☐ Il décide de rester deux jours de plus.

5 *Quelle raison Jan donne-t-il à la mère pour expliquer cette décision ?*

☐ Il ne se sent pas bien.

☐ Il veut rejoindre son épouse.

☐ Il ne se sent pas chez lui.

6 *Que ramasse le vieux domestique sur le sol alors que la sœur et la mère sont occupées à vider les poches de leur victime ?*

☐ Un billet.

☐ Un passeport.

☐ Une carte d'identité.

7 *Qu'attendent les deux femmes pour aller jeter le corps à la rivière ?*

☐ Que les eaux de la rivière montent.

☐ Que le barrage s'ouvre.

☐ Que les eaux de la rivière descendent.

Des questions pour aller plus loin

→ *Comprendre l'évolution de l'intrigue*

Une atmosphère angoissante

1 Quelle atmosphère règne dans les chambres de cette auberge ? Appuyez-vous sur le discours de Jan dans la scène 2 et sur la dernière réplique de Martha dans la scène 8 pour répondre.

2 À votre avis, quel décor un metteur en scène peut-il choisir pour traduire le mieux possible cette atmosphère ?

3 Expliquez en quoi le comportement de Martha, au début de la scène 1, ne correspond pas à celui qu'on attendrait de la part d'une hôtelière.

4 En quoi peut-on dire que le personnage du vieux domestique est particulièrement mystérieux et inquiétant dans ce deuxième acte ?

Martha : un personnage désabusé

5 Quels termes utiliseriez-vous pour qualifier Martha dans cet acte ?

6 Recopiez et complétez le tableau suivant en relevant les termes avec lesquels Martha et Jan évoquent le printemps.

Description du printemps selon Martha	Description du printemps selon Jan

7 Dans la scène 1, Martha dit : « Ce que j'ai d'humain, c'est ce que je désire, et pour obtenir ce que je désire, je crois que j'écraserais tout sur mon passage » (l. 667-669). Après avoir donné la nature et la fonction du groupe de mots « que j'écraserais tout sur mon passage », expliquez ce que veut dire Martha dans cette phrase.

8 Que révèle le discours de Martha sur sa façon de voir la vie ? Quelle image a-t-elle de l'être humain ?

L'assassinat de Jan

9 Dans la scène 6, comment la mère réagit-elle lorsqu'elle apprend qu'une tasse de thé a été apportée dans la chambre de Jan ?

10 Dans la scène 8, la mère se sent-elle coupable d'avoir commis un crime ? Justifiez votre réponse.

11 À quoi la mère compare-t-elle la mort dans cette scène ? À votre avis, pourquoi ?

12 En quoi est-il particulièrement ironique pour Jan de parler de « festin du prodigue » (l. 739) alors qu'il est en train de boire le thé que lui a apporté Martha ?

✔ *Rappelez-vous !*

• Dans une tragédie, les héros se débattent dans **un lieu à l'atmosphère souvent angoissante** et où ils sont comme enfermés. Dans *Le Malentendu*, c'est le contraste entre le désir d'ailleurs des personnages et leur impossibilité à s'échapper de l'endroit où ils vivent qui rend la pièce tragique.

• Martha étouffe dans cette auberge qu'elle voudrait quitter pour aller vivre dans un endroit ouvert, près de la mer. Quant à Jan, au moment où il décide de quitter l'auberge, il est déjà trop tard... Comme dans une tragédie classique, l'action conduit inexorablement les personnages de la pièce vers **une fin tragique** car ils ne peuvent échapper à leur destin.

De la lecture à l'écriture

✎ *Des mots pour mieux écrire*

1 a. *À quel champ lexical les adjectifs suivants appartiennent-ils ?*

| Désabusé | | Désenchanté | | Découragé | | Désespéré |

b. *Quelle remarque pouvez-vous faire sur la construction des mots de la liste ci-dessus ? Donnez deux autres adjectifs construits de la même manière.*

2 **a. *Parmi les termes suivants, quels sont ceux qui correspondent le mieux aux sentiments qu'éprouve Martha dans la scène 8 ?***

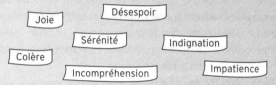

Joie
Désespoir
Sérénité
Indignation
Colère
Incompréhension
Impatience

b. *Employez chacun d'eux dans des phrases de votre invention.*

✎ À vous d'écrire

1 Au début de l'acte II, Jan pense à Maria, seule dans sa chambre d'hôtel, et se demande ce qu'elle fait.

Imaginez que Maria réfléchisse à la discussion qu'elle a eue avec son époux à l'acte I et écrivez son monologue.

Consigne. Vous insisterez sur ce que pense Maria du choix de Jan de taire son identité, tout en veillant à respecter les codes du texte de théâtre. Votre texte fera une page.

2 Pour obtenir ce qu'ils désirent, certains sont prêts à tout. D'autres estiment au contraire qu'il faut s'imposer des limites. Qu'en pensez-vous ?

Consigne. Dans votre texte, de deux pages environ, vous exposerez les arguments des uns et des autres et vous terminerez par votre propre point de vue.

Du texte à l'image

Martha (Hélène Guichard) et Jan (Christophe Hardy) dans la mise en scène
d'Hubert Jappelle, théâtre de l'Usine, Cergy-Pontoise, 2013.
Martha (Jamie Birkett) dans la mise en scène de Stephen Whitson, King's
Head Theatre, Londres, 2012.
➡ **Images reproduites en couverture et en début d'ouvrage,
au verso de la couverture, en haut à droite.**

👁 *Lire l'image*

1 Décrivez précisément les photographies (personnages, costumes,
couleurs dominantes). Quels points communs et quelles différences
remarquez-vous entre ces deux images ?

2 Comparez l'expression et l'attitude des deux personnages :
sont-elles exactement les mêmes sur chacun des documents ?
Laquelle de ces femmes vous semble la plus inquiétante
et pourquoi ?

3 Que tient chacun des personnages dans la main ?

📄 *Comparer le texte et l'image*

4 Identifiez le personnage représenté sur les deux documents.
À quel passage de la pièce chacune de ces deux photographies
fait-elle référence ? Relevez les indices qui vous ont permis
de répondre.

5 Dites ce que symbolise chacun des objets que les deux femmes
ont dans la main. Dans la mise en scène de Stephen Whitson,
quel élément ne fait pas partie de la pièce d'Albert Camus ?
Selon vous, pourquoi a-t-il été ajouté ?

6 À votre avis, qui est le personnage représenté de dos sur l'image
de couverture ?

À vous de créer

7 **B2i** Imaginez que les metteurs en scène des deux photographies reproduites, Stephen Whitson et Hubert Jappelle, aient rédigé une note d'intention à destination des deux comédiennes qui jouent le rôle féminin représenté sur les documents. Dans cette note, ils donnent des indications sur la manière dont elles doivent interpréter le personnage (gestes, expressions du visage, maquillage, costumes, accessoires). Choisissez la mise en scène que vous préférez puis rédigez la note d'intention correspondante à l'aide d'un logiciel de traitement de texte. Celle-ci fera une quinzaine de lignes. Vous pouvez accompagner votre texte de croquis que vous numériserez à l'aide d'un scanner.

ACTE III

Scène 1

La mère, Martha et le domestique sont en scène. Le vieux balaie et range. La sœur est derrière le comptoir, tirant ses cheveux en arrière. La mère traverse le plateau, se dirigeant vers la porte.

MARTHA

Vous voyez bien que cette aube est arrivée.

LA MÈRE

890 Oui. Demain, je trouverai que c'est une bonne chose que d'en avoir fini. Maintenant, je ne sens que ma fatigue.

MARTHA

Ce matin est, depuis des années, le premier où je respire. Il me semble que j'entends déjà la mer. Il y a en moi une joie qui va me faire crier.

LA MÈRE

895 Tant mieux, Martha, tant mieux. Mais je me sens maintenant si vieille que je ne peux rien partager avec toi. Demain, tout ira mieux.

MARTHA

Oui, tout ira mieux, je l'espère. Mais ne vous plaignez pas encore
et laissez-moi être heureuse à loisir[1]. Je redeviens la jeune fille
que j'étais. De nouveau, mon corps brûle, j'ai envie de courir.
900 Oh ! dites-moi seulement…

Elle s'arrête.

LA MÈRE

Qu'y a-t-il, Martha ? Je ne te reconnais plus.

MARTHA

Mère… *(Elle hésite, puis avec feu.)* Suis-je encore belle ?

LA MÈRE

Tu l'es, ce matin. Le crime est beau.

MARTHA

Qu'importe maintenant le crime ! Je nais pour la seconde fois,
905 je vais rejoindre la terre où je serai heureuse.

LA MÈRE

Bien. Je vais aller me reposer. Mais je suis contente de savoir que
la vie va enfin commencer pour toi.

*Le vieux domestique apparaît en haut de l'escalier, descend vers
Martha, lui tend le passeport, puis sort sans rien dire. Martha ouvre
le passeport et le lit, sans réaction.*

LA MÈRE

Qu'est-ce que c'est ?

---

1. **À loisir** : autant que je le désire, comme je l'entends.

MARTHA, *d'une voix calme.*

Son passeport. Lisez.

LA MÈRE

910 Tu sais bien que mes yeux sont fatigués.

MARTHA

Lisez ! Vous saurez son nom.

La mère prend le passeport, vient s'asseoir devant une table, étale le carnet et lit. Elle regarde longtemps les pages devant elle.

LA MÈRE, *d'une voix neutre.*

Allons, je savais bien qu'un jour cela tournerait de cette façon et qu'alors il faudrait en finir.

MARTHA, *elle vient se placer devant le comptoir.*

Mère !

LA MÈRE, *de même.*

915 Laisse, Martha, j'ai bien assez vécu. J'ai vécu beaucoup plus long-temps que mon fils. Je ne l'ai pas reconnu et je l'ai tué. Je peux maintenant aller le rejoindre au fond de cette rivière où les herbes couvrent déjà son visage.

MARTHA

Mère ! Vous n'allez pas me laisser seule ?

LA MÈRE

920 Tu m'as bien aidée, Martha, et je regrette de te quitter. Si cela peut encore avoir du sens, je dois témoigner qu'à ta manière tu as été une bonne fille. Tu m'as toujours rendu le respect que tu me devais. Mais maintenant, je suis lasse et mon vieux cœur, qui se croyait détourné de tout, vient de réapprendre la douleur. Je

925   ne suis plus assez jeune pour m'en arranger. Et de toute façon,
quand une mère n'est plus capable de reconnaître son fils, c'est
que son rôle sur la terre est fini.

MARTHA

Non, si le bonheur de sa fille est encore à construire. Je ne
comprends pas ce que vous me dites. Je ne reconnais pas vos
930   mots. Ne m'avez-vous pas appris à ne rien respecter ?

LA MÈRE, *de la même voix indifférente.*

Oui, mais, moi, je viens d'apprendre que j'avais tort et que sur
cette terre où rien n'est assuré, nous avons nos certitudes. *(Avec
amertume[1].)* L'amour d'une mère pour son fils est aujourd'hui
ma certitude.

MARTHA

935   N'êtes-vous donc pas certaine qu'une mère puisse aimer sa fille ?

LA MÈRE

Je ne voudrais pas te blesser maintenant, Martha, mais il est vrai
que ce n'est pas la même chose. C'est moins fort. Comment
pourrais-je me passer de l'amour de mon fils ?

MARTHA, *avec éclat.*

Bel amour qui vous oublia vingt ans !

LA MÈRE

940   Oui, bel amour qui survit à vingt ans de silence. Mais qu'importe !
cet amour est assez beau pour moi, puisque je ne peux vivre en
dehors de lui.

Elle se lève.

---

1. Amertume : sentiment de découragement et de rancœur que l'on éprouve après
un échec ou une désillusion.

MARTHA

Il n'est pas possible que vous disiez cela sans l'ombre d'une révolte et sans une pensée pour votre fille.

LA MÈRE

945 Non, je n'ai de pensée pour rien et moins encore de révolte. C'est la punition, Martha, et je suppose qu'il est une heure où tous les meurtriers sont comme moi, vidés par l'intérieur, stériles, sans avenir possible. C'est pour cela qu'on les supprime, ils ne sont bons à rien.

MARTHA

950 Vous tenez un langage que je méprise et je ne puis vous entendre parler de crime et de punition.

LA MÈRE

Je dis ce qui me vient à la bouche, rien de plus. Ah ! j'ai perdu ma liberté, c'est l'enfer qui a commencé !

MARTHA, *elle vient vers elle, et avec violence.*

Vous ne disiez pas cela auparavant. Et pendant toutes ces années, 955 vous avez continué à vous tenir près de moi et à prendre d'une main ferme les jambes de ceux qui devaient mourir. Vous ne pensiez pas alors à la liberté et à l'enfer. Vous avez continué. Que peut changer votre fils à cela ?

LA MÈRE

J'ai continué, il est vrai. Mais par habitude, comme une morte. 960 Il suffisait de la douleur pour tout transformer. C'est cela que mon fils est venu changer.

Martha fait un geste pour parler.

Je sais, Martha, cela n'est pas raisonnable. Que signifie la douleur pour une criminelle ? Mais aussi, tu le vois, ce n'est pas

une vraie douleur de mère : je n'ai pas encore crié. Ce n'est rien
965 d'autre que la souffrance de renaître à l'amour, et cependant
elle me dépasse. Je sais aussi que cette souffrance non plus n'a
pas de raison. *(Avec un accent nouveau.)* Mais ce monde lui-même
n'est pas raisonnable et je puis bien le dire, moi qui en ai tout
goûté, depuis la création jusqu'à la destruction.

Elle se dirige avec décision vers la porte, mais Martha
la devance et se place devant l'entrée.

MARTHA

970 Non, mère, vous ne me quitterez pas. N'oubliez pas que je suis
celle qui est restée et que lui était parti, que vous m'avez eue près
de vous toute une vie et que lui vous a laissée dans le silence.
Cela doit se payer. Cela doit entrer dans le compte[1]. Et c'est vers
moi que vous devez revenir.

LA MÈRE, *doucement.*

975 Il est vrai, Martha, mais lui, je l'ai tué !

Martha s'est détournée un peu, la tête en arrière,
semblant regarder la porte.

MARTHA, *après un silence, avec une passion croissante.*

Tout ce que la vie peut donner à un homme lui a été donné. Il a
quitté ce pays. Il a connu d'autres espaces, la mer, des êtres libres.
Moi, je suis restée ici. Je suis restée, petite et sombre, dans l'ennui,
enfoncée au cœur du continent et j'ai grandi dans l'épaisseur des
980 terres. Personne n'a embrassé ma bouche et même vous, n'avez
vu mon corps sans vêtements. Mère, je vous le jure, cela doit se
payer. Et sous le vain prétexte qu'un homme est mort, vous ne
pouvez vous dérober au moment où j'allais recevoir ce qui m'est
dû. Comprenez donc que, pour un homme qui a vécu, la mort

---

1. **Entrer dans le compte** : être pris en compte.

985 est une petite affaire. Nous pouvons oublier mon frère et votre fils. Ce qui lui est arrivé est sans importance : il n'avait plus rien à connaître. Mais moi, vous me frustrez de tout et vous m'ôtez ce dont il a joui. Faut-il donc qu'il m'enlève encore l'amour de ma mère et qu'il vous emmène pour toujours dans sa rivière glacée ?

Elles se regardent en silence. La sœur baisse les yeux.
Très bas.

990 Je me contenterais de si peu. Mère, il y a des mots que je n'ai jamais su prononcer, mais il me semble qu'il y aurait de la douceur à recommencer notre vie de tous les jours.

La mère s'est avancée vers elle.

LA MÈRE

Tu l'avais reconnu ?

MARTHA, *relevant brusquement la tête.*

Non ! je ne l'avais pas reconnu. Je n'avais gardé de lui aucune
995 image, cela est arrivé comme ce devait arriver. Vous l'avez dit vous-même, ce monde n'est pas raisonnable. Mais vous n'avez pas tout à fait tort de me poser cette question. Car si je l'avais reconnu, je sais maintenant que cela n'aurait rien changé.

LA MÈRE

Je veux croire que cela n'est pas vrai. Les pires meurtriers connaissent
1000 les heures où l'on désarme.

MARTHA

Je les connais aussi. Mais ce n'est pas devant un frère inconnu et indifférent que j'aurais baissé le front.

LA MÈRE

Devant qui donc alors ?

Martha baisse le front.

MARTHA
Devant vous.

Silence.

LA MÈRE, *lentement.*
1005 Trop tard, Martha. Je ne peux plus rien pour toi. *(Elle se retourne vers sa fille.)* Est-ce que tu pleures, Martha ? Non, tu ne saurais pas. Te souviens-tu du temps où je t'embrassais ?

MARTHA
Non, mère.

LA MÈRE
Tu as raison. Il y a longtemps de cela et j'ai très vite oublié de
1010 te tendre les bras. Mais je n'ai pas cessé de t'aimer. *(Elle écarte doucement Martha qui lui cède peu à peu le passage.)* Je le sais maintenant puisque mon cœur parle ; je vis à nouveau, au moment où je ne puis plus supporter de vivre.

Le passage est libre.

MARTHA, *mettant son visage dans ses mains.*
Mais qu'est-ce donc qui peut être plus fort que la détresse de
1015 votre fille ?

LA MÈRE
La fatigue peut-être, et la soif de repos.

Elle sort sans que sa fille s'y oppose.

Scène 2

Martha court vers la porte, la ferme brutalement, se colle contre elle.
Elle éclate en cris sauvages.

MARTHA

Non ! je n'avais pas à veiller sur mon frère, et pourtant me voilà
exilée dans mon propre pays ; ma mère elle-même m'a rejetée.
Mais je n'avais pas à veiller sur mon frère, ceci est l'injustice
1020   qu'on fait à l'innocence. Le voilà qui a obtenu maintenant ce
qu'il voulait, tandis que je reste solitaire, loin de la mer dont
j'avais soif. Oh ! je le hais. Toute ma vie s'est passée dans l'attente
de cette vague qui m'emporterait et je sais qu'elle ne viendra
plus ! Il me faut demeurer avec, à ma droite et à ma gauche,
1025   devant et derrière moi, une foule de peuples et de nations, de
plaines et de montagnes, qui arrêtent le vent de la mer et dont
les jacassements et les murmures étouffent son appel répété.
(Plus bas.) D'autres ont plus de chance ! Il est des lieux pourtant
éloignés de la mer où le vent du soir, parfois, apporte une odeur
1030   d'algue. Il y parle de plages humides, toutes sonores du cri des
mouettes, ou de grèves[1] dorées dans des soirs sans limites. Mais
le vent s'épuise bien avant d'arriver ici ; plus jamais je n'aurai
ce qui m'est dû. Quand même je collerais mon oreille contre
terre, je n'entendrais pas le choc des vagues ou la respiration
1035   mesurée de la mer heureuse. Je suis trop loin de ce que j'aime
et ma distance est sans remède. Je le hais, je le hais pour avoir
obtenu ce qu'il voulait ! Moi, j'ai pour patrie ce lieu clos et épais
où le ciel est sans horizon, pour ma faim l'aigre prunier de ce
pays et rien pour ma soif, sinon le sang que j'ai répandu. Voilà
1040   le prix qu'il faut payer pour la tendresse d'une mère !

Qu'elle meure donc, puisque je ne suis pas aimée ! Que les
portes se referment autour de moi ! Qu'elle me laisse à ma juste

---

1. **Grèves** : plages, rivages.

colère! Car, avant de mourir, je ne lèverai pas les yeux pour implorer le Ciel. Là-bas, où l'on peut fuir, se délivrer, presser son corps
1045 contre un autre, rouler dans la vague, dans ce pays défendu par la mer, les dieux n'abordent pas. Mais ici, où le regard s'arrête de tous côtés, toute la terre est dessinée pour que le visage se lève et que le regard supplie. Oh! je hais ce monde où nous en sommes réduits à Dieu. Mais moi, qui souffre d'injustice, on ne m'a pas
1050 fait droit, je ne m'agenouillerai pas. Et privée de ma place sur cette terre, rejetée par ma mère, seule au milieu de mes crimes, je quitterai ce monde sans être réconciliée.

On frappe à la porte.

Scène 3

MARTHA
Qui est là?

MARIA
Une voyageuse.

MARTHA
1055 On ne reçoit plus de clients.

MARIA
Je viens rejoindre mon mari.

Elle entre.

MARTHA, *la regardant.*
Qui est votre mari?

MARIA

Il est arrivé ici hier et devait me rejoindre ce matin. Je suis étonnée qu'il ne l'ait pas fait.

MARTHA

1060 Il avait dit que sa femme était à l'étranger.

MARIA

Il a ses raisons pour cela. Mais nous devions nous retrouver maintenant.

MARTHA, *qui n'a pas cessé de la regarder.*

Cela vous sera difficile. Votre mari n'est plus ici.

MARIA

Que dites-vous là? N'a-t-il pas pris une chambre chez vous?

MARTHA

1065 Il avait pris une chambre, mais il l'a quittée dans la nuit.

MARIA

Je ne puis le croire, je sais toutes les raisons qu'il a de rester dans cette maison. Mais votre ton m'inquiète. Dites-moi ce que vous avez à me dire.

MARTHA

Je n'ai rien à vous dire, sinon que votre mari n'est plus là.

MARIA

1070 Il n'a pu partir sans moi, je ne vous comprends pas. Vous a-t-il quittées définitivement ou a-t-il dit qu'il reviendrait?

MARTHA

Il nous a quittées définitivement.

MARIA

Écoutez. Depuis hier, je supporte, dans ce pays étranger, une attente qui a épuisé toute ma patience. Je suis venue, poussée par l'inquiétude, et je ne suis pas décidée à repartir sans avoir vu mon mari ou sans savoir où le retrouver.

MARTHA

Ce n'est pas mon affaire.

MARIA

Vous vous trompez. C'est aussi votre affaire. Je ne sais pas si mon mari approuvera ce que je vais vous dire, mais je suis lasse de ces complications[1]. L'homme qui est arrivé chez vous, hier matin, est le frère dont vous n'entendez plus parler depuis des années.

MARTHA

Vous ne m'apprenez rien.

MARIA, *avec éclat.*

Mais alors, qu'est-il donc arrivé ? Pourquoi votre frère n'est-il pas dans cette maison ? Ne l'avez-vous pas reconnu et, votre mère et vous, n'avez-vous pas été heureuses de ce retour ?

MARTHA

Votre mari n'est plus là parce qu'il est mort.

Maria a un sursaut et reste un moment silencieuse, regardant fixement Martha. Puis elle fait mine de s'approcher d'elle et sourit.

---

1. **Complications** : problèmes.

MARIA

Vous plaisantez, n'est-ce pas ? Jan m'a souvent dit que, petite fille, déjà, vous vous plaisiez à déconcerter[1]. Nous sommes presque sœurs et…

MARTHA

1090 Ne me touchez pas. Restez à votre place. Il n'y a rien de commun entre nous. *(Un temps.)* Votre mari est mort cette nuit, je vous assure que cela n'est pas une plaisanterie. Vous n'avez plus rien à faire ici.

MARIA

Mais vous êtes folle, folle à lier ! C'est trop soudain et je ne peux
1095 pas vous croire. Où est-il ? Faites que je le voie mort et alors seulement je croirai ce que je ne puis même pas imaginer.

MARTHA

C'est impossible. Là où il est, personne ne peut le voir.

Maria a un geste vers elle.

Ne me touchez pas et restez où vous êtes… Il est au fond de la rivière où ma mère et moi l'avons porté, cette nuit, après
1100 l'avoir endormi. Il n'a pas souffert, mais il n'empêche qu'il est mort, et c'est nous, sa mère et moi, qui l'avons tué.

MARIA, *elle recule.*

Non, non… c'est moi qui suis folle et qui entends des mots qui n'ont encore jamais retenti sur cette terre. Je savais que rien de bon ne m'attendait ici, mais je ne suis pas prête à entrer dans cette
1105 démence[2]. Je ne comprends pas, je ne vous comprends pas…

---

1. Déconcerter : déstabiliser, surprendre.
2. Démence : folie.

MARTHA

Mon rôle n'est pas de vous persuader, mais seulement de vous informer. Vous viendrez de vous-même à l'évidence.

MARIA, *avec une sorte de distraction.*

Pourquoi, pourquoi avez-vous fait cela?

MARTHA

Au nom de quoi me questionnez-vous?

MARIA, *dans un cri.*

1110 Au nom de mon amour!

MARTHA

Qu'est-ce que ce mot veut dire?

MARIA

Il veut dire tout ce qui, à présent, me déchire et me mord, ce délire qui ouvre mes mains pour le meurtre. N'était cette incroyance entêtée qui me reste dans le cœur, vous apprendriez, folle, ce
1115 que ce mot veut dire, en sentant votre visage se déchirer sous mes ongles.

MARTHA

Vous parlez décidément un langage que je ne comprends pas. J'entends mal les mots d'amour, de joie ou de douleur.

MARIA, *avec un grand effort.*

Écoutez, cessons ce jeu, si c'en est un. Ne nous égarons pas en
1120 paroles vaines. Dites-moi, bien clairement, ce que je veux savoir bien clairement, avant de m'abandonner.

MARTHA

Il est difficile d'être plus claire que je l'ai été. Nous avons tué votre mari cette nuit, pour lui prendre son argent, comme nous l'avions fait déjà pour quelques voyageurs avant lui.

MARIA

1125 Sa mère et sa sœur étaient donc des criminelles?

MARTHA

Oui.

MARIA, *toujours avec le même effort.*

Aviez-vous appris déjà qu'il était votre frère?

MARTHA

Si vous voulez le savoir, il y a eu malentendu. Et pour peu que vous connaissiez le monde, vous ne vous en étonnerez pas.

MARIA, *retournant vers la table,*
les poings contre la poitrine, d'une voix sourde.

1130 Oh! mon Dieu, je savais que cette comédie ne pouvait être que sanglante, et que lui et moi serions punis de nous y prêter. Le malheur était dans ce ciel. *(Elle s'arrête devant la table et parle sans regarder Martha.)* Il voulait se faire reconnaître de vous, retrouver sa maison, vous apporter le bonheur, mais il ne savait pas trouver
1135 la parole qu'il fallait. Et pendant qu'il cherchait ses mots, on le tuait. *(Elle se met à pleurer.)* Et vous, comme deux insensées[1], aveugles devant le fils merveilleux qui vous revenait… car il était merveilleux, et vous ne savez pas quel cœur fier, quelle âme exigeante vous venez de tuer! Il pouvait être votre orgueil, comme il
1140 a été le mien. Mais, hélas! vous étiez son ennemie, vous êtes son

---

1. **Insensées**: folles.

ennemie, vous qui pouvez parler froidement de ce qui devrait vous jeter dans la rue et vous tirer des cris de bête !

MARTHA

Ne jugez de rien, car vous ne savez pas tout. À l'heure qu'il est, ma mère a rejoint son fils. Le flot[1] commence à les ronger. On
1145 les découvrira bientôt et ils se retrouveront dans la même terre. Mais je ne vois pas qu'il y ait encore là de quoi me tirer des cris. Je me fais une autre idée du cœur humain et, pour tout dire, vos larmes me répugnent.

MARIA, *se retournant contre elle avec haine.*

Ce sont les larmes des joies perdues à jamais. Cela vaut mieux
1150 pour vous que cette douleur sèche qui va bientôt me venir et qui pourrait vous tuer sans un tremblement.

MARTHA

Il n'y a pas là de quoi m'émouvoir. Vraiment, ce serait peu de chose. Moi aussi, j'en ai assez vu et entendu, j'ai décidé de mourir à mon tour. Mais je ne veux pas me mêler à eux. Qu'ai-je à faire
1155 dans leur compagnie ? Je les laisse à leur tendresse retrouvée, à leurs caresses obscures. Ni vous ni moi n'y avons plus de part, ils nous sont infidèles à jamais. Heureusement, il me reste ma chambre, il sera bon d'y mourir seule.

MARIA

Ah ! vous pouvez mourir, le monde peut crouler, j'ai perdu celui
1160 que j'aime. Il me faut maintenant vivre dans cette terrible solitude où la mémoire est un supplice.

Martha vient derrière elle et parle par-dessus sa tête.

---

1. **Flot** : eau.

MARTHA

N'exagérons rien. Vous avez perdu votre mari et j'ai perdu ma mère. Après tout, nous sommes quittes. Mais vous ne l'avez perdu qu'une fois, après en avoir joui pendant des années et sans qu'il vous ait rejetée. Moi, ma mère m'a rejetée. Maintenant elle est morte et je l'ai perdue deux fois.

1165

MARIA

Il voulait vous apporter sa fortune, vous rendre heureuses toutes les deux. Et c'est à cela qu'il pensait, seul, dans sa chambre, au moment où vous prépariez sa mort.

MARTHA, *avec un accent soudain désespéré.*

1170 Je suis quitte aussi avec votre mari, car j'ai connu sa détresse. Je croyais comme lui avoir ma maison. J'imaginais que le crime était notre foyer et qu'il nous avait unies, ma mère et moi, pour toujours. Vers qui donc, dans le monde, aurais-je pu me tourner, sinon vers celle qui avait tué en même temps que moi ? Mais je me trompais. Le crime aussi est une solitude, même si on se met à mille pour l'accomplir. Et il est juste que je meure seule, après avoir vécu et tué seule.

1175

Maria se tourne vers elle dans les larmes.

MARTHA, *reculant et reprenant sa voix dure.*

Ne me touchez pas, je vous l'ai déjà dit. À la pensée qu'une main humaine puisse m'imposer sa chaleur avant de mourir, à la pen-
1180 sée que n'importe quoi qui ressemble à la hideuse tendresse des hommes puisse me poursuivre encore, je sens toutes les fureurs du sang remonter à mes tempes.

Elles se font face, très près l'une de l'autre.

MARIA

Ne craignez rien. Je vous laisserai mourir comme vous le désirez. Je suis aveugle, je ne vous vois plus ! Et ni votre mère, ni vous, ne serez jamais que des visages fugitifs[1], rencontrés et perdus au cours d'une tragédie qui n'en finira pas. Je ne sens pour vous ni haine ni compassion. Je ne peux plus aimer ni détester personne. *(Elle cache soudain son visage dans ses mains.)* En vérité, j'ai à peine eu le temps de souffrir ou de me révolter. Le malheur était plus grand que moi.

> *Martha, qui s'est détournée et a fait quelques pas*
> *vers la porte, revient vers Maria.*

MARTHA

Mais pas encore assez grand puisqu'il vous a laissé des larmes. Et avant de vous quitter pour toujours, je vois qu'il me reste quelque chose à faire. Il me reste à vous désespérer[2].

MARIA, *la regardant avec effroi.*

Oh ! laissez-moi, allez-vous-en et laissez-moi !

MARTHA

Je vais vous laisser, en effet, et pour moi aussi ce sera un soulagement, je supporte mal votre amour et vos pleurs. Mais je ne puis mourir en vous laissant l'idée que vous avez raison, que l'amour n'est pas vain, et que ceci est un accident. Car c'est maintenant que nous sommes dans l'ordre. Il faut vous en persuader.

MARIA

Quel ordre ?

---

1. **Fugitifs** : qui seront rapidement oubliés.
2. **Désespérer** : tourmenter, faire perdre espoir.

MARTHA

Celui où personne n'est jamais reconnu.

MARIA, *égarée.*

Que m'importe, je vous entends à peine. Mon cœur est déchiré.
Il n'a de curiosité que pour celui que vous avez tué.

MARTHA, *avec violence.*

Taisez-vous! Je ne veux plus entendre parler de lui, je le déteste. Il
1205 ne vous est plus rien. Il est entré dans la maison amère où l'on est
exilé pour toujours. L'imbécile! il a ce qu'il voulait, il a retrouvé
celle qu'il cherchait. Nous voilà tous dans l'ordre. Comprenez
que ni pour lui ni pour nous, ni dans la vie ni dans la mort, il
n'est de patrie ni de paix. *(Avec un rire méprisant.)* Car on ne peut
1210 appeler patrie, n'est-ce pas, cette terre épaisse, privée de lumière,
où l'on s'en va nourrir des animaux aveugles.

MARIA, *dans les larmes.*

Oh! mon Dieu, je ne peux pas, je ne peux pas supporter ce
langage. Lui non plus ne l'aurait pas supporté. C'est pour une
autre patrie qu'il s'était mis en marche.

MARTHA, *qui a atteint la porte,*
se retournant brusquement.

1215 Cette folie a reçu son salaire[1]. Vous recevrez bientôt le vôtre.
(Avec le même rire.) Nous sommes volés, je vous le dis. À quoi
bon ce grand appel de l'être, cette alerte des âmes? Pourquoi
crier vers la mer ou vers l'amour? Cela est dérisoire. Votre mari
connaît maintenant la réponse, cette maison épouvantable où
1220 nous serons enfin serrés les uns contre les autres. *(Avec haine.)*
Vous la connaîtrez aussi, et si vous le pouviez alors, vous vous
souviendriez avec délices de ce jour où pourtant vous vous croyiez

---

1. Cette folie a reçu son salaire: Jan a eu ce qu'il méritait.

entrée dans le plus déchirant des exils. Comprenez que votre douleur ne s'égalera jamais à l'injustice qu'on fait à l'homme
1225 et pour finir écoutez mon conseil. Je vous dois bien un conseil, n'est-ce pas, puisque je vous ai tué votre mari!

Priez votre Dieu qu'il vous fasse semblable à la pierre. C'est le bonheur qu'il prend pour lui, c'est le seul vrai bonheur. Faites comme lui, rendez-vous sourde à tous les cris, rejoignez la pierre
1230 pendant qu'il en est temps. Mais si vous vous sentez trop lâche pour entrer dans cette paix muette, alors venez nous rejoindre dans notre maison commune. Adieu, ma sœur! Tout est facile, vous le voyez. Vous avez à choisir entre le bonheur stupide des cailloux et le lit gluant où nous vous attendons.

Elle sort et Maria, qui a écouté avec égarement,
oscille sur elle-même, les mains en avant.

MARIA, *dans un cri.*

1235 Oh! mon Dieu! je ne puis vivre dans ce désert! C'est à vous que je parlerai et je saurai trouver mes mots. *(Elle tombe à genoux.)* Oui, c'est à vous que je m'en remets. Ayez pitié de moi, tournez-vous vers moi! Entendez-moi, donnez-moi votre main! Ayez pitié, Seigneur, de ceux qui s'aiment et qui sont séparés!

La porte s'ouvre et le vieux domestique paraît.

Scène 4

LE VIEUX, *d'une voix nette et ferme.*

1240 Vous m'avez appelé ?

MARIA, *se tournant vers lui.*

Oh ! je ne sais pas ! Mais aidez-moi, car j'ai besoin qu'on m'aide. Ayez pitié et consentez à m'aider !

LE VIEUX, *de la même voix.*

Non !

RIDEAU

Arrêt sur lecture 3

Un quiz pour commencer

Cochez les bonnes réponses.

1 *Que projettent de faire Martha et la mère après avoir tué Jan ?*

- ❏ D'utiliser l'argent récolté pour rénover leur auberge.
- ❏ De continuer à tuer et à dépouiller les voyageurs.
- ❏ De partir dans un pays près de la mer.

2 *Quel nom la mère découvre-t-elle en lisant le passeport ?*

- ❏ Le nom d'un parfait inconnu.
- ❏ Le nom de son fils.
- ❏ Le nom d'un homme qu'elle a déjà rencontré.

3 *À la fin de la pièce, qu'avoue la mère à Martha au sujet de Jan ?*

- ❏ Qu'elle l'a toujours aimé.
- ❏ Qu'elle ne l'a jamais aimé.
- ❏ Qu'elle ne l'aime plus depuis longtemps.

4 *Quelle mort la mère choisit-elle de s'infliger pour se punir de son crime ?*

- ❏ Elle décide de mourir seule, dans sa chambre.
- ❏ Elle souhaite mourir avec sa fille, à l'auberge.
- ❏ Elle veut mourir avec son fils, dans la rivière.

5 *Que ressent Martha lorsqu'elle apprend que sa mère envisage de se donner la mort ?*

- ❏ Elle comprend son geste et décide de partir seule rejoindre le pays dont elles ont rêvé.
- ❏ Elle se sent trahie.
- ❏ Elle veut la suivre et mourir avec elle.

6 *Qui frappe à la porte au début de la scène 3 ?*

- ❏ Le domestique.
- ❏ Maria.
- ❏ La mère.

7 *Quel sentiment Martha éprouve-t-elle pour son frère à la fin de la pièce ?*

- ❏ De l'amour.
- ❏ De la compassion.
- ❏ De la haine.

8 *Comment la pièce se termine-t-elle ?*

- ❏ Maria choisit de se suicider car elle ne peut supporter de vivre sans son époux.
- ❏ Maria tombe à genoux et implore Dieu.
- ❏ Maria quitte l'auberge en pleurant.

Des questions pour aller plus loin

→ *Étudier le dénouement d'une tragédie moderne*

Un malentendu fatal

1 Quel personnage de la pièce apporte le passeport ? Comment interprétez-vous ce geste ?

2 Comment la mère réagit-elle à la lecture du passeport ? Qu'en est-il de Martha ? Appuyez-vous sur des citations précises du texte pour répondre.

3 La mère considère ce qu'elle a fait comme une « punition » (l. 946) qui lui serait infligée pour tous les « crime[s] » (l. 951) qu'elle a commis. Qu'est-ce que cela suppose ? À quoi croit-elle ?

4 Martha évoque un « malentendu » à propos de la mort de son frère (l. 1128). À quoi est-il dû selon elle ? Et selon Maria ?

Martha : un personnage révolté

5 Dans les scènes 1 et 2, relevez les didascalies qui donnent des indications sur le ton qu'adopte Martha. Que constatez-vous ?

6 Quels sentiments Martha éprouve-t-elle pour son frère ? Appuyez votre réponse sur des éléments précis du texte.

7 « Il a connu d'autres espaces, la mer, des êtres libres. Moi, je suis restée ici » (l. 977-978) : identifiez le procédé utilisé dans la seconde phrase pour mettre en valeur la différence entre Martha et Jan. Quel reproche Martha adresse-t-elle à son frère ?

8 Comment Martha aurait-elle agi si elle avait su qui était l'étranger ? Que pouvez-vous en conclure sur ce personnage ?

Une vision tragique du monde

9 À la fin de la scène 2, Martha affirme que là où elle vit, « toute la terre est dessinée pour que le visage se lève et que le regard supplie » (l. 1047-1048). Vers qui se dirige ce regard suppliant ?

10 Dans la scène 3, Martha ordonne à plusieurs reprises à Maria de ne pas la toucher. Pourquoi ?

11 En voyant la douleur qu'éprouve Maria, Martha lui conseille de « pri[er] Dieu qu'il [la] fasse semblable à la pierre » (l. 1227). Identifiez la figure de style employée puis expliquez l'image.

12 Selon Martha, Maria doit choisir entre « le bonheur stupide des cailloux » et « le lit gluant où [Martha et sa mère l'attendent] » (l. 1233-1234). Autrement dit, quels sont les deux choix qui s'offrent à elle ?

13 À qui Maria s'adresse-t-elle à la fin de la scène 3 ? Que lui demande-t-elle ?

14 Qui répond à son appel à la scène 4 et que lui dit-il ? Que pouvez-vous en conclure ?

✔ *Rappelez-vous !*

• Contrairement à la comédie, où tout finit bien, la tragédie se termine souvent par **la mort du ou des héros**. Dans la tragédie classique, les héros ne peuvent échapper à leur destin et à la fatalité divine.

• *Le Malentendu* est une **tragédie moderne**: le tragique réside dans l'indifférence d'un Dieu qui « se tait » lorsqu'on l'appelle à l'aide. Et comme Martha et sa mère ne peuvent échapper à ces « lieu[x] clos » que sont l'auberge et leur pays natal, la mort devient leur seule délivrance possible.

De la lecture à l'écriture

✎ *Des mots pour mieux écrire*

1 a. *Les mots suivants caractérisent des sentiments. En vous aidant des définitions, indiquez les lettres manquantes.*

| H | | I | | E | : sentiment violent qui pousse à vouloir du mal à quelqu'un.

| A | V | | R | | I | | N | : vive répulsion à l'égard de quelqu'un ou de quelque chose.

| M | | P | R | | S | : sentiment par lequel on juge quelqu'un comme indigne d'estime.

| I | N | | I | F | | | R | | N | | E | : sentiment par lequel on n'accorde aucune attention, aucun intérêt à quelqu'un ou à quelque chose.

b. *Classez ces termes par ordre croissant d'intensité.*

2 a. *Reliez le début de chacune des expressions suivantes à sa fin.*

Prendre son destin ● ● la fatalité

Décider ● ● à celle de quelqu'un

Unir sa destinée ● ● de son destin

Accuser ● ● en main

b. *Cherchez une autre expression sur le même thème.*

À vous d'écrire

1 En rentrant chez elle, Maria raconte, dans son journal intime, son entrevue avec Martha, la sœur de son époux. Elle fait part de sa douleur mais aussi de son incompréhension face aux propos qu'a tenus Martha.

Consigne. Vous veillerez à respecter les codes du journal intime. Votre texte fera une page.

2 Est-il possible d'échapper à son destin ? Certains pensent que c'est impossible et que tout est programmé d'avance. D'autres, au contraire, estiment que le choix leur appartient et qu'ils sont libres de mener leur vie comme ils l'entendent.

Consigne. Vous exposerez les arguments des uns puis des autres en terminant par votre propre point de vue. Vos exemples pourront être tirés de la vie quotidienne ou de vos expériences personnelles mais vous veillerez à utiliser des exemples extraits du *Malentendu*. Votre texte fera deux pages.

Du texte à l'image

Martha (Jamie Birkett) et la mère (Christina Thornton) dans la mise en scène de Stephen Whitson, King's Head Theatre, Londres, 2012.
La mère (Francine Bergé) et Martha (Farida Rahouadj) dans la mise en scène d'Olivier Desbordes, festival de Figeac, 2013.
➡ **Images reproduites en fin d'ouvrage, au verso de la couverture.**

Lire l'image

1 Comparez les deux photographies : quels points communs et quelles différences observez-vous dans le placement des personnages, leurs costumes et leur attitude ?

2 Où les deux personnages se trouvent-ils sur chaque image ? Relevez les éléments du décor qui l'indiquent.

Comparer le texte et l'image

3 Identifiez les personnages représentés. À quel passage de l'acte III chacune de ces photographies peut-elle correspondre ?

4 Dans chaque document, relevez l'élément qui marque physiquement la séparation entre les deux personnages. En vous aidant de ce que vous savez sur les relations entre Martha et la mère à la fin de la pièce, dites en quoi ce choix de mise en scène fait sens.

5 Retrouvez les didascalies qui décrivent la réaction de Martha à la lecture du passeport (p. 82). Le jeu de la comédienne dans la mise en scène de Stephen Whitson vous semble-t-il conforme à ces indications ? Justifiez votre réponse.

À vous de créer

6 Illustrez le passage de la pièce correspondant à la photographie du haut sous la forme d'une courte bande dessinée. Commencez par découper le passage en différentes séquences qui formeront autant de cases de votre bande dessinée. Puis imaginez le décor de la scène, les costumes et les expressions des personnages. N'hésitez pas à proposer une version personnelle de ce passage qui mettra en évidence les réactions contrastées de Martha et de sa mère.

Arrêt sur l'œuvre

Des questions sur l'ensemble de la pièce

Une affaire de crime

1 Quels liens unissent les différents personnages au début de l'histoire ? Comment évoluent-ils à mesure que la pièce avance ?

2 Décrivez précisément, étape par étape, ce que font Martha et sa mère une fois qu'un nouvel arrivant est entré dans l'auberge.

3 Quels sentiments les deux femmes nourrissent-elles à l'égard des actes qu'elles commettent ? Appuyez-vous sur des citations précises du texte pour répondre.

4 De quel genre, littéraire ou cinématographique, pourriez-vous rapprocher *Le Malentendu* de Camus ?

Le destin tragique d'un fils

5 Quel événement vient perturber la routine des deux criminelles et faire définitivement basculer la pièce dans le tragique ?

6 Selon vous, pourquoi Jan ne divulgue-t-il pas tout de suite son identité ? Qu'attend-il ?

7 À votre avis, en quoi son projet est-il voué à l'échec dès le début de la pièce ?

Une tragédie du monde moderne

8 Observez le tableau ci-dessous. Dans la colonne de gauche sont résumées les caractéristiques de la tragédie classique. Indiquez, dans la colonne de droite, si elles se retrouvent dans la pièce de Camus. Si ce n'est pas le cas, précisez la transformation qui a eu lieu.

Dans la tragédie classique	Dans *Le Malentendu* de Camus
L'intrigue se déroule dans un seul lieu.	
Les personnages sont de sang royal.	
Les dieux décident du destin des héros, qui ne peuvent y échapper.	

9 Relisez les didascalies qui décrivent ce que fait le domestique. À quel moment de la pièce aurait-il pu intervenir pour éviter que l'histoire ne tourne au tragique ? À votre avis, pourquoi ne l'a-t-il pas fait ? Aidez-vous des dernières répliques de la pièce pour répondre.

10 Cherchez l'étymologie du mot « malentendu ». En quoi peut-on dire qu'il est paradoxal de parler de « malentendu », au sens propre du terme, à propos de la pièce de Camus ?

11 Quelle conclusion pouvez-vous tirer du *Malentendu* de Camus ? Pour répondre, réfléchissez à ce qu'aurait pu faire Jan en entrant dans l'auberge tenue par sa mère et sa sœur et repensez aux conseils que lui donne Maria à la scène 3 de l'acte I.

Des mots pour mieux écrire

Lexique de la culpabilité et du crime

Condamnable: qui mérite d'être condamné.
Coupable: qui a commis une faute, une infraction.
Crime: infraction grave punissable par la loi.
Culpabilité: situation d'une personne coupable et sentiment qu'éprouve celui qui a commis une faute.
Faute: action considérée comme mauvaise et qui mérite d'être punie.

Meurtre: action de tuer volontairement un être humain.
Péché: transgression d'un impératif religieux, d'une loi divine.
Punissable: susceptible d'entraîner une punition.
Remords: sentiment d'angoisse, mêlé de honte, que ressent celui qui a mal agi.
Responsabilité: obligation ou nécessité morale de réparer une faute, de remplir un devoir.

1 *Parmi les mots du lexique de la culpabilité et du crime, quels sont les deux termes qui appartiennent à la même famille ?*

2 *Complétez les phrases suivantes à l'aide des mots du lexique de la culpabilité et du crime.*

a. Jan revient à l'auberge de son enfance car il se sent _____ d'avoir abandonné sa mère et sa sœur quand il était plus jeune.

b. Dans le premier acte, Martha et la mère planifient le _____ qu'elles s'apprêtent à commettre, sans manifester le moindre sentiment de _____.

c. À la fin de la pièce, la mère prend conscience qu'elle a commis un acte _____ en assassinant son fils. Martha, quant à elle, n'éprouve aucun _____ __ d'avoir tué son frère.

Lexique de la tragédie

Aveuglement : incapacité à voir, à comprendre la réalité.

Châtiment : punition infligée à quelqu'un qui a commis une faute.

Destin : ensemble des événements composant la vie humaine, qui sont inscrits à l'avance et qu'on ne peut changer.

Fatalité : force qui dirige la vie humaine et contre laquelle on ne peut lutter.

Funeste : qui cause ou apporte la mort.

Passion : vive émotion ou sentiment qui s'oppose à la raison.

Pitié : sentiment de sympathie à l'égard de la souffrance d'autrui.

Pulsion : force inconsciente qui dirige l'activité d'un individu.

Terreur : peur extrême qui bouleverse et paralyse.

Tragédie : genre théâtral qui met en scène des personnages de rangs élevés aux prises avec des forces qui les dépassent et qui se dénoue le plus souvent par la mort des héros.

Tragique : qui est propre à la tragédie ; situation où l'homme prend conscience d'un destin qui pèse sur lui et contre lequel il ne peut rien.

Mots croisés

Tous les mots à placer dans la grille ci-contre se trouvent dans le lexique de la tragédie.

Horizontalement

1. Ce à quoi est sujet Jan en ne comprenant pas le sort que lui réservent sa sœur et sa mère.

2. Événements composant la vie des héros et auxquels ils ne peuvent échapper.

3. Émotion violente et irrationnelle.

4. Effroi.

Verticalement

A. Compassion.

B. Caractérise la décision de Jan de ne pas révéler son identité.

C. Genre auquel appartient la pièce d'Albert Camus.

D. Ce que s'inflige la mère lorsqu'elle décide de se suicider à la fin de la pièce.

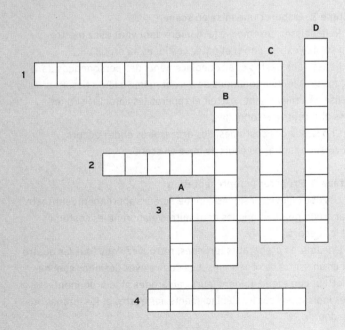

À vous de créer

1 *Mettre en scène un extrait de la pièce*

Par groupes de quatre, vous allez préparer la mise en scène d'un passage de la pièce. Chaque groupe est composé de deux acteurs et de deux metteurs en scène.

Étape 1. Choisir une scène de la pièce

Choisissez l'une des trois scènes suivantes:
– la scène 3 de l'acte I;
– la scène 6 de l'acte II;
– la scène 1 de l'acte III.

Étape 2. Élaborer une mise en scène

– Réfléchissez ensemble à la manière dont vous allez mettre en scène l'extrait choisi et notez vos idées au brouillon.
– Pensez aux gestes et aux déplacements des personnages dans l'espace, à leurs intonations de voix et même à leurs tics. Pour cela, relisez attentivement l'extrait et repérez les caractéristiques des différents personnages.
– Choisissez des costumes, des accessoires et des décors correspondant à vos choix de mise en scène.

Étape 3. Préparer la représentation

– Les deux élèves désignés comme acteurs apprennent leur texte par cœur, pendant que les deux autres élaborent les costumes et les décors.
– Une fois les préparatifs terminés, retrouvez-vous tous les quatre pour une série de répétitions. Les deux élèves désignés comme metteurs en scène guident leurs camarades et leur donnent des indications sur les déplacements, les gestes et les intonations à adopter.

Étape 4. Présenter le travail devant la classe

– Les deux acteurs jouent la scène devant la classe en veillant à ne pas tourner le dos à leurs camarades, à articuler et à parler assez fort pour que tout le monde puisse entendre.

– Un des metteurs en scène joue le rôle muet du domestique, quand cela est nécessaire. L'autre présente et situe le passage au début de la représentation.

2 (B2i) *Enquêter et établir un dossier sur les sources dont s'est inspiré Albert Camus*

Pour écrire *Le Malentendu*, Albert Camus s'est inspiré de plusieurs faits divers. Le plus connu est celui de « l'auberge rouge » aussi appelé « l'auberge sanglante ». Un autre, qui a eu lieu en Yougoslavie en 1935, est raconté dans *L'Écho d'Alger* du 6 janvier 1935 et relaté dans un autre texte d'Albert Camus, *L'Étranger*. Enquêtez sur ces faits divers et constituez un dossier sur les sources d'Albert Camus.

Étape 1. Effectuer des recherches sur Internet

– Commencez par choisir les mots-clés de votre recherche puis entrez-les dans un moteur de recherche. Pour le deuxième fait divers, vous ne trouverez rien dans les archives de *L'Écho d'Alger*. Allez voir le dossier sur *Le Malentendu* élaboré par le Théâtre de l'Usine, qui a fait jouer la pièce en 2013.

– Parcourez rapidement les pages pour repérer les informations essentielles. N'oubliez pas de noter les adresses des sites que vous consultez. Elles vous seront utiles pour compléter votre bibliographie.

Étape 2. Récapituler au brouillon les faits divers qui ont inspiré Albert Camus

– Reportez sur une feuille les différents faits divers qui peuvent avoir inspiré Albert Camus.

– Résumez les faits et notez précisément les dates, comme si vous aviez à monter un dossier pour une enquête judiciaire.

Étape 3. Élargir la recherche

– Cherchez des documents ou des vidéos sur Internet qui vous permettront de montrer à quel point ces faits divers ont inspiré la littérature et le cinéma.

– Relevez quelques-unes des œuvres qui empruntent elles aussi à ces faits divers, en précisant le nom de l'auteur, le type d'œuvre dont il est question et leur date de création.

Étape 4. Créer un power point et le présenter au reste de la classe

– À l'aide d'un logiciel de présentation, créez un diaporama qui s'organisera en deux parties : une première dans laquelle vous présenterez les faits et une seconde dans laquelle vous montrerez comment la littérature et le cinéma se sont emparés de ces faits divers.

– Vous veillerez à accompagner vos propos par des images voire par des extraits vidéo.

– Votre propos devra être clair et structuré. À la fin de votre présentation, vous transmettrez votre bibliographie à vos camarades.

Du texte à l'image

Affiche de José Roy pour le roman L'*Auberge sanglante de Peirebeilhe* de Jules Beaujoint, 1885.
➡ **Image reproduite en début d'ouvrage, au verso de la couverture, en haut à gauche.**

👁 *Lire l'image*

1 De quel type de document s'agit-il ? Relevez les caractéristiques de ce type de document.

2 Décrivez précisément l'image (personnages, décor, couleurs dominantes). Quels éléments indiquent qu'il s'agit d'une histoire de crimes ?

📄 *Comparer le texte et l'image*

3 Quels sont les différents criminels représentés sur l'image. À quels personnages de la pièce d'Albert Camus certains peuvent-ils faire penser ? Justifiez votre réponse.

4 En vous appuyant sur l'action du personnage représenté à l'arrière-plan du document, dites comment les criminels du roman de Jules Baujoint se débarrassent de leurs victimes après les avoir tuées. En quoi est-ce différent du mode opératoire des héroïnes du *Malentendu* ?

✍ *À vous de créer*

5 Vous êtes éditeur et vous êtes chargé(e) de rédiger le résumé de la quatrième de couverture du roman de Jules Baujoint. En vous appuyant sur les informations délivrées par l'affiche et sur votre imagination, écrivez ce résumé en une dizaine de lignes. Veillez à ne pas dévoiler toute l'histoire et à susciter la curiosité du lecteur.

Groupements de textes

De la tragédie antique à la tragédie moderne

Sophocle, *Œdipe-Roi*

Dans cette tragédie, le dramaturge grec Sophocle (v⁵ siècle av. J.-C.) raconte l'histoire d'Œdipe devenu roi de Thèbes après avoir tué son père et épousé sa mère sans connaître leur identité. Voulant sauver son royaume dévasté par la peste, il découvre qu'une malédiction est à l'origine de l'épidémie et qu'il en est responsable. Cette révélation fait naître en lui douleur et désespoir. Dans cette scène, Œdipe fait part à son épouse, Jocaste, de sa découverte.

ŒDIPE

J'ai pour père Polybe, de Corinthe ; ma mère, Mérope, est originaire de la Doride. J'étais considéré là-bas comme le premier des citoyens, lorsque survint un incident propre, certes, à m'étonner, mais indigne que je le prisse à cœur. Au milieu d'un festin, après boire[1], un convive échauffé par le vin me traite d'enfant supposé. Blessé dans mon orgueil, je me contins à grand-peine tout le reste du jour. Le lendemain, j'allai questionner mon père et ma mère. Ils s'indignèrent contre l'insolent. Bien que leur tendresse me fût douce, la brûlure de l'insulte avait pénétré profondément dans mon cœur. À l'insu de mes parents[2], je me rendis donc à Pytho[3]. Phœbos[4] ne daigna point répondre à ma question ; il me congédia[5], – non toutefois sans m'avoir prédit toute sorte d'horribles calamités : que je m'unirais à ma mère, que j'exhiberais aux yeux des hommes une postérité monstrueuse[6], que je deviendrais le meurtrier de mon propre père ! Je me le tins pour dit et m'éloignai de Corinthe, me dirigeant à vue de nez, en quête d'un pays où jamais je ne verrais s'accomplir à ma honte les funestes[7] prédictions. Et voilà qu'en cheminant j'arrive dans la région où tu dis que le feu roi[8] a trouvé la mort. À toi, ma femme, je dirai toute la vérité. Près de la jonction des deux routes, sur une voiture attelée de jeunes chevaux et précédée d'un piqueur[9], un homme répondant au signalement que tu m'indiques s'avance dans mon chemin. Le conducteur, puis le vieillard lui-même veulent m'écarter violemment du passage. Furieux, je frappe le premier, qui me poussait contre le talus. Alors le vieillard, guettant le moment où je passais le long du véhicule, m'atteignit de deux coups d'aiguillon[10], en plein sur le crâne. Il n'en a pas été quitte au même prix[11]. À l'instant

---

1. Après boire : après avoir bu.
2. À l'insu de mes parents : sans que mes parents le sachent.
3. Pytho : Delphes, lieu où se trouvait un sanctuaire d'Apollon célèbre pour ses oracles dans l'Antiquité.
4. Phœbos : Apollon. Œdipe consulte l'oracle de ce dieu pour savoir si Polybe et Mérope sont ses vrais parents.
5. Congédia : renvoya.
6. Une postérité monstrueuse : des enfants monstrueux.
7. Funestes : liées à la mort.
8. Le feu roi : le roi défunt.
9. Piqueur : domestique qui précède l'attelage de voitures et de chevaux.
10. Aiguillon : long bâton terminé par une pointe en fer.
11. Il n'en a pas été quitte au même prix : il n'en a pas été de même pour lui.

même, assommé d'un coup de mon bâton, il tombe à la renverse et roule à bas de la voiture. J'ai tué tout le monde… Si Laïos[1] a quelque chose de commun avec ce voyageur, quel homme plus que moi peut se dire malheureux, plus que moi maudit du ciel? Désormais, ni étrangers ni citoyens ne pourront m'accueillir ni seulement m'adresser la parole, on me chassera de toutes les maisons! Et ces malédictions, qui m'en a chargé? Moi-même! De mes mains, qui l'ont tué, je souille[2] la couche[3] du mort! Suis-je assez misérable! assez impur! Il me faut fuir; fugitif, il m'est interdit de revoir les miens et de fouler le sol de ma patrie, sous peine de m'unir à ma mère et de tuer Polybe, mon père qui m'a élevé! Si on attribuait ce qui m'arrive à une divinité cruelle, n'aurait-on pas raison? Jamais, jamais, ô sainte majesté des dieux, puissé-je ne voir ce jour-là! Plutôt disparaître d'entre les hommes, avant de voir attachée sur moi une telle souillure.

Sophocle, *Œdipe-Roi* [vers 430 av. J.-C.] dans *Théâtre complet*, traduit du grec ancien par R. Pignarre, GF-Flammarion, 1964.

Racine, *Phèdre*

Dans sa pièce, Jean Racine (1639-1699) met en scène les tourments de Phèdre, éprise d'Hippolyte, le fils de son époux Thésée. Malgré ses efforts, Phèdre ne parvient pas à taire cet amour contraire à toutes les lois. Ni sa volonté, ni ses prières aux dieux ne semblent pouvoir la soustraire à la fatalité. Elle confesse ici ses tourments à sa servante, Œnone.

PHÈDRE

Mon mal vient de plus loin. À peine au fils d'Égée[4]
Sous les lois de l'hymen[5] je m'étais engagée,

---

1. **Laïos**: père d'Œdipe.
2. **Souille**: salis, déshonore.
3. **Couche**: lit.
4. **Fils d'Égée**: Thésée.
5. **Hymen**: mariage.

Mon repos, mon bonheur semblait être affermi,
Athènes me montra mon superbe ennemi :
Je le vis, je rougis, je pâlis à sa vue ;
Un trouble s'éleva dans mon âme éperdue ;
Mes yeux ne voyaient plus, je ne pouvais parler ;
Je sentis tout mon corps et transir[1] et brûler ;
Je reconnus Vénus[2] et ses feux redoutables[3],
D'un sang qu'elle poursuit tourments inévitables.
Par des vœux assidus je crus les détourner :
Je lui bâtis un temple, et pris soin de l'orner ;
De victimes moi-même à toute heure entourée,
Je cherchais dans leurs flancs ma raison égarée :
D'un incurable amour remèdes impuissants !
En vain sur les autels[4] ma main brûlait l'encens :
Quand ma bouche implorait le nom de la déesse,
J'adorais Hippolyte ; et, le voyant sans cesse,
Même au pied des autels que je faisais fumer,
J'offrais tout à ce dieu que je n'osais nommer.
Je l'évitais partout. Ô comble de misère !
Mes yeux le retrouvaient dans les traits de son père.
Contre moi-même enfin j'osai me révolter :
J'excitai[5] mon courage à le persécuter.
Pour bannir l'ennemi dont j'étais idolâtre,
J'affectai[6] les chagrins d'une injuste marâtre[7] ;
Je pressai son exil[8] ; et mes cris éternels
L'arrachèrent du sein et des bras paternels.
Je respirais, Œnone ; et, depuis son absence,
Mes jours moins agités coulaient dans l'innocence ;

1. Transir : être saisi de froid.
2. Vénus : dans la mythologie romaine, déesse de l'amour.
3. Feux redoutables : la métaphore du feu désigne ici le sentiment amoureux.
4. Autels : tables sur lesquelles sont déposées les offrandes faites aux dieux, comme l'encens.
5. J'excitai : j'incitai.
6. J'affectai : je simulai.
7. Marâtre : belle-mère.
8. Exil : départ.

Soumise à mon époux, et cachant mes ennuis,
De son fatal hymen je cultivais les fruits[1].
Vaines précautions ! Cruelle destinée !
Par mon époux lui-même à Trézène[2] amenée,
J'ai revu l'ennemi que j'avais éloigné :
Ma blessure trop vive aussitôt a saigné.
Ce n'est plus une ardeur dans mes veines cachée :
C'est Vénus tout entière à sa proie attachée.
J'ai conçu pour mon crime une juste terreur :
J'ai pris la vie en haine et ma flamme en horreur ;
Je voulais en mourant prendre soin de ma gloire,
Et dérober au jour une flamme si noire :
Je n'ai pu soutenir tes larmes, tes combats :
Je t'ai tout avoué ; je ne m'en repens pas,
Pourvu que, de ma mort respectant les approches,
Tu ne m'affliges plus par d'injustes reproches,
Et que tes vains[3] secours cessent de rappeler
Un reste de chaleur tout prêt à s'exhaler[4].

Jean Racine, *Phèdre* [1677], Belin-Gallimard, « Classico », 2010.

Jean Giraudoux, *La guerre de Troie n'aura pas lieu*

Jean Giraudoux (1882-1944) propose dans cette pièce écrite en 1935 une réécriture originale de l'épisode de la guerre de Troie raconté par le poète grec Homère dans *L'Iliade* au VIIIe siècle avant J.-C. La pièce s'ouvre sur un dialogue entre Andromaque et sa belle-sœur, la prophétesse Cassandre. Alors que la première espère le retour de son époux Hector autant que la fin de la guerre, la seconde prédit un terrible destin.

---

1. **Je cultivais les fruits** : j'élevais nos enfants.
2. **Trézène** : ville du Péloponnèse, en Grèce.
3. **Vains** : inutiles.
4. **S'exhaler** : s'échapper.

ANDROMAQUE

La guerre de Troie n'aura pas lieu, Cassandre !

CASSANDRE

Je te tiens un pari, Andromaque.

ANDROMAQUE

Cet envoyé des Grecs a raison. On va bien le recevoir. On va bien lui envelopper sa petite Hélène[1], et on la lui rendra.

CASSANDRE

On va le recevoir grossièrement. On ne lui rendra pas Hélène. Et la guerre de Troie aura lieu.

ANDROMAQUE

Oui, si Hector n'était pas là !… Mais il arrive, Cassandre, il arrive ! Tu entends assez ses trompettes… En cette minute, il entre dans la ville, victorieux. Je pense qu'il aura son mot à dire. Quand il est parti, voilà trois mois, il m'a juré que cette guerre était la dernière.

CASSANDRE

C'était la dernière. La suivante l'attend.

ANDROMAQUE

Cela ne te fatigue pas de ne voir et de ne prévoir que l'effroyable ?

CASSANDRE

Je ne vois rien, Andromaque. Je ne prévois rien. Je tiens seulement compte de deux bêtises, celles des hommes et celles des éléments.

---

1. L'enlèvement d'Hélène, épouse d'un roi grec, par le prince troyen Pâris est à l'origine de la guerre de Troie, qui oppose Grecs et Troyens.

ANDROMAQUE

Pourquoi la guerre aurait-elle lieu ? Pâris ne tient plus à Hélène. Hélène ne tient plus à Pâris.

CASSANDRE

Il s'agit bien d'eux !

ANDROMAQUE

Il s'agit de quoi ?

CASSANDRE

Pâris ne tient plus à Hélène ! Hélène ne tient plus à Pâris ! Tu as vu le destin s'intéresser à des phrases négatives ?

ANDROMAQUE

Je ne sais pas ce qu'est le destin.

CASSANDRE

Je vais te le dire. C'est simplement la forme accélérée du temps. C'est épouvantable.

Jean Giraudoux, *La guerre de Troie n'aura pas lieu* [1935],
LGF, « Le livre de poche », 1972.

Jean Anouilh, *Antigone*

Pendant la Seconde Guerre mondiale, en pleine occupation allemande, Jean Anouilh (1910-1987) réécrit le mythe d'Antigone, symbole de la lutte contre un pouvoir injuste et impitoyable. L'héroïne de la pièce brave l'interdiction du roi Créon d'accomplir des rites funéraires et va recouvrir le corps de son frère mort, Polynice. Pour cet acte de rébellion, elle est condamnée à mort. Dans cet extrait, le Chœur, élément caractéristique de la tragédie antique, rappelle au spectateur que la fatalité est à l'œuvre et que les héros ne peuvent échapper à leur destin.

LE CHŒUR

Et voilà. Maintenant le ressort est bandé[1]. Cela n'a plus qu'à se dérouler tout seul. C'est cela qui est commode dans la tragédie. On donne le petit coup de pouce pour que cela démarre, rien, un regard pendant une seconde à une fille qui passe et lève les bras dans la rue, une envie d'honneur un beau matin, au réveil, comme de quelque chose qui se mange, une question de trop qu'on se pose un soir… C'est tout. Après, on n'a plus qu'à laisser faire. On est tranquille. Cela roule tout seul. C'est minutieux, bien huilé depuis toujours. La mort, la trahison, le désespoir sont là, tout prêts, et les éclats, et les orages, et les silences, tous les silences: le silence quand le bras du bourreau se lève à la fin, le silence au commencement quand les deux amants sont nus l'un en face de l'autre pour la première fois, sans oser bouger tout de suite, dans la chambre sombre, le silence quand les cris de la foule éclatent autour du vainqueur […].

C'est propre, la tragédie. C'est reposant, c'est sûr… […] D'abord, on est entre soi. On est tous innocents en somme! Ce n'est pas parce qu'il y en a un qui tue et l'autre qui est tué. C'est une question de distribution. Et puis, surtout, c'est reposant, la tragédie, parce qu'on sait qu'il n'y a plus d'espoir, le sale espoir; qu'on est pris, qu'on est enfin pris comme un rat, avec tout le ciel sur son dos, et qu'on n'a plus qu'à crier – pas à gémir, non, pas à se plaindre, – à gueuler à pleine voix ce qu'on avait à dire, qu'on n'avait jamais dit et qu'on ne savait peut-être même pas encore. Et pour rien: pour se le dire à soi, pour l'apprendre, soi. Dans le drame, on se débat parce qu'on espère en sortir. C'est ignoble, c'est utilitaire. Là, c'est gratuit. C'est pour les rois. Et il n'y a plus rien à tenter, enfin!

Jean Anouilh, *Antigone*, [1944],
La table ronde, «La petite vermillon», 2008.

Groupements de textes

---

1. **Bandé**: tendu, tiré.

Albert Camus, *Caligula*

Dans cette tragédie appartenant au «cycle de l'absurde», comme *Le Malentendu*, Albert Camus (1913-1960) dresse le portrait de l'empereur romain Caligula sous les traits d'un tyran fou et lunatique, qui tue par caprice. Au début de la pièce, il prend un très grand plaisir à persécuter et à humilier les sénateurs.

Caligula, *au vieux patricien*[1].

Bonjour, ma chérie. (*Aux autres.*) Cherea, j'ai décidé de me restaurer chez toi. Mucius, je me suis permis d'inviter ta femme.

L'intendant frappe dans ses mains.
Un esclave entre, mais Caligula l'arrête.

Un instant! Messieurs, vous savez que les finances de l'État ne tenaient debout que parce qu'elles en avaient pris l'habitude. Depuis hier, l'habitude elle-même n'y suffit plus. Je suis donc dans la désolante nécessité de procéder à des compressions[2] de personnel. Dans un esprit de sacrifice que vous apprécierez, j'en suis sûr, j'ai décidé de réduire mon train de maison[3], de libérer quelques esclaves, et de vous affecter à mon service. Vous voudrez bien préparer la table et la servir.

Les sénateurs se regardent et hésitent.

Hélicon[4]

Allons, messieurs, un peu de bonne volonté. Vous verrez, d'ailleurs, qu'il est plus facile de descendre l'échelle sociale que de la remonter.

Les sénateurs se déplacent avec hésitation.

---

1. **Patricien**: membre du Sénat romain.
2. **Compressions**: suppressions.
3. **Train de maison**: train de vie.
4. **Hélicon**: serviteur dévoué à Caligula.

CALIGULA, *à Caesonia[1].*

Quel est le châtiment réservé aux esclaves paresseux ?

CAESONIA

Le fouet, je crois.

> *Les sénateurs se précipitent et commencent
> d'installer la table maladroitement.*

CALIGULA

Allons, un peu d'application ! De la méthode, surtout, de la méthode ! (*À Hélicon.*) Ils ont perdu la main, il me semble ?

HÉLICON

À vrai dire, ils ne l'ont jamais eue, sinon pour frapper ou commander. Il faudra patienter, voilà tout. Il faut un jour pour faire un sénateur et dix ans pour faire un travailleur.

CALIGULA

Mais j'ai bien peur qu'il en faille vingt pour faire un travailleur d'un sénateur.

HÉLICON

Tout de même, ils y arrivent. À mon avis, ils ont la vocation ! La servitude leur conviendra. (*Un sénateur s'éponge.*) Regarde, ils commencent même à transpirer. C'est une étape.

CALIGULA

Bon. N'en demandons pas trop. Ce n'est pas si mal. Et puis, un instant de justice, c'est toujours bon à prendre. À propos de justice, il faut nous dépêcher : une exécution m'attend. Ah ! Rufius a de la chance que je sois si prompt[2] à avoir faim. (*Confidentiel.*) Rufius, c'est le chevalier qui doit mourir. (*Un temps.*) Vous ne me demandez pas pourquoi il doit mourir ?

---

1. Caesonia : maîtresse de Caligula.
2. Prompt : pressé.

> *Silence général.*
> *Pendant ce temps, des esclaves ont apporté des vivres.*
> *De bonne humeur.*

Allons, je vois que vous devenez intelligents. (*Il grignote une olive.*) Vous avez fini par comprendre qu'il n'est pas nécessaire d'avoir fait quelque chose pour mourir. Soldats, je suis content de vous.

Albert Camus, *Caligula* [1945], Gallimard, «Folioplus classiques», 2012.

Groupement 2

Enfants et parents

Colette, *Sido*

Dans cette œuvre à caractère biographique, Colette (1873-1954) réunit avec nostalgie ses souvenirs d'enfance et d'adolescence. La figure de la mère y occupe une place prépondérante: très proche de la nature, elle initie sa fille aux beautés et aux merveilles de l'univers.

Mes biographes, que je renseigne peu, la peignent tantôt sous les traits d'une rustique fermière, tantôt la traitent de «bohème fantaisiste[1]». L'un d'eux, à ma stupeur, va jusqu'à l'accuser d'avoir écrit des œuvrettes littéraires destinées à la jeunesse!

Au vrai, cette Française vécut son enfance dans l'Yonne[2], son adolescence parmi des peintres, des journalistes, des

---

1. Bohème fantaisiste: personne qui vit en marge des règles sociales et qui ne fait que ce qui lui plaît.
2. Yonne: département de la Bourgogne.

virtuoses de la musique, en Belgique, où s'étaient fixés ses deux frères aînés, puis elle revint dans l'Yonne et s'y maria, deux fois. D'où, de qui lui furent remis sa rurale sensibilité, son goût fin de la province? Je ne saurais le dire. Je la chante[1], de mon mieux. Je célèbre la clarté originelle qui, en elle, refoulait, éteignait souvent les petites lumières péniblement allumées au contact de ce qu'elle nommait « le commun des mortels ». Je l'ai vue suspendre, dans un cerisier, un épouvantail à effrayer les merles, car l'Ouest[2], notre voisin, enrhumé et doux, secoué d'éternuements en série, ne manquait pas de déguiser ses cerisiers en vieux chemineaux[3] et coiffait ses groseilliers de gibus[4] poilus. Peu de jours après, je trouvais ma mère sous l'arbre, passionnément immobile, la tête à la rencontre du ciel d'où elle bannissait les religions humaines…

– Chut!… Regarde…

Un merle noir, oxydé[5] de vert et de violet, piquait les cerises, buvait le jus, déchiquetait la chair rosée…

– Qu'il est beau!… chuchotait ma mère. Et tu vois comme il se sert de sa patte? Et tu vois les mouvements de sa tête et cette arrogance? Et ce tour de bec pour vider le noyau? Et remarque bien qu'il n'attrape que les plus mûres…

– Mais, maman, l'épouvantail…

– Chut!… L'épouvantail ne le gêne pas…

– Mais, maman, les cerises!…

Ma mère ramena sur la terre ses yeux couleur de pluie:

– Les cerises?… Ah! oui, les cerises…

Dans ses yeux passa une sorte de frénésie riante, un universel mépris, un dédain dansant qui me foulait avec tout le reste, allégrement… Ce ne fut qu'un moment, – non pas un moment unique. Maintenant que je la connais mieux, j'interprète ces éclairs de son visage. Il me semble qu'un besoin d'échapper à

---

1. Chante: célèbre.
2. L'Ouest: voisin dont la maison touche celle de Sido du côté ouest.
3. Chemineaux: personnes qui parcourent les chemins.
4. Gibus: chapeaux haut-de-forme.
5. Oxydé: piqueté.

tout et à tous, un bond vers le haut, vers une loi écrite par elle seule, pour elle seule, les allumait. Si je me trompe, laissez-moi errer.

Sous le cerisier, elle retomba encore une fois parmi nous, lestée de soucis, d'amour, d'enfants et de mari suspendus, elle redevint bonne, ronde, humble devant l'ordinaire de sa vie :

– C'est vrai, les cerises…

Le merle était parti, gavé, et l'épouvantail hochait au vent son gibus vide.

Colette, *Sido* [1930], LGF, « Le livre de poche », 1973.

Hervé Bazin, *Vipère au poing*

Vipère au poing est un roman autobiographique paru en 1948. S'inspirant de sa propre enfance, Hervé Bazin (1911-1996) raconte l'histoire de trois frères élevés très durement par une mère froide et autoritaire, Mme Rézeau. Après être rentré tardivement de la chasse avec ses trois fils, le père demande à son épouse, qui réprimande les enfants, de les laisser tranquilles. Puis il quitte la terrasse, laissant les trois garçons seuls face à leur mère.

« Allons, venez, les enfants, reprit-elle d'un ton neutre. Il faut aller vous laver les mains. »

La manœuvre consistait à nous isoler des témoins. Mme Rézeau se contint jusqu'au palier. Mais là… les pieds, les mains, les cris, tout partit à la fois. Le premier qui lui tomba sous la patte fut Cropette[1] et, dans sa fureur, elle ne l'épargna point. Notre benjamin protestait en se couvrant la tête :

« Mais, maman, moi, je n'y suis pour rien. »

Petit salaud qui l'appelait maman ! Folcoche[2] le lâcha pour se ruer sur nous. Remarquez que, d'ordinaire, elle ne nous

---

1. Cropette : surnom du plus jeune garçon de la fratrie.
2. Folcoche : surnom par lequel les enfants appellent leur mère, résultat de la contraction de « folle » et de « cochonne ».

battait jamais sans nous en donner les motifs. Ce soir-là, aucune explication. Elle réglait ses comptes. Frédie se laissa faire. Il avait un chic particulier pour lasser le bourreau en s'effaçant sous les coups, en le contraignant à frapper à bout de bras. Quant à moi, pour la première fois, je me rebiffai. Folcoche reçut dans les tibias quelques répliques du talon et j'enfonçai trois fois le coude dans le sein qui ne m'avait pas nourri. Évidemment, je payai très cher ces fantaisies. Elle abandonna tout à fait mes frères, qui se réfugièrent sous une console[1], et me battit durant un quart d'heure, sans un mot, jusqu'à épuisement. J'étais couvert de bleus en rentrant dans ma chambre, mais je ne pleurais pas. Ah! non. Une immense fierté me remboursait au centuple[2].

Au souper, papa ne put ne pas remarquer les traces du combat. Il fronça les sourcils, devint rose... Mais sa lâcheté eut le dessus. Puisque cet enfant ne se plaignait pas, pourquoi rallumer la guerre? Il trouva seulement le courage de me sourire. Les dents serrées, les yeux durs, je le fixai longuement dans les yeux. Ce fut lui qui baissa les paupières. Mais, quand il les releva, je lui rendis son sourire, et ses moustaches se mirent à trembler.

Hervé Bazin, *Vipère au poing* [1948], LGF, «Le livre de poche», 1990.
© Grasset.

Albert Cohen, *Le Livre de ma mère*

Dans *Le Livre de ma mère*, Albert Cohen (1895-1981) rend hommage à sa mère qui a tout sacrifié pour lui, et crie son regret de ne pas avoir été présent au moment de sa mort. Il évoque, dans cet extrait, leur arrivée à Marseille.

Pleurer sa mère, c'est pleurer son enfance. L'homme veut son enfance, veut la ravoir, et s'il aime davantage sa mère à

---

1. Console: table à deux ou quatre pieds, appuyée contre un mur.
2. Au centuple: cent fois plus, dans une proportion beaucoup plus importante.

mesure qu'il avance en âge, c'est parce que sa mère, c'est son enfance. J'ai été un enfant, je ne le suis plus et je n'en reviens pas. Soudain, je me rappelle notre arrivée à Marseille. J'avais cinq ans. En descendant du bateau, accroché à la jupe de Maman coiffée d'un canotier[1] orné de cerises, je fus effrayé par les trams, ces voitures qui marchaient toutes seules. Je me rassurai en pensant qu'un cheval devait être caché dedans. [...]

Peu après notre débarquement, mon père m'avait déposé, épouvanté et ahuri, car je ne savais pas un mot de français, dans une petite école de sœurs catholiques. J'y restais du matin au soir, tandis que mes parents essayaient de gagner leur vie dans ce vaste monde effrayant. Parfois, ils devaient partir si tôt le matin qu'ils n'osaient pas me réveiller. Alors, lorsque le réveil sonnait à sept heures, je découvrais le café au lait entouré de flanelles[2] par ma mère qui avait trouvé le temps, à cinq heures du matin, de me faire un petit dessin rassurant qui remplaçait son baiser et qui était posé contre la tasse. J'en revois de ces dessins: un bateau transportant le petit Albert, minuscule à côté d'un gigantesque nougat tout pour lui; un éléphant appelé Guillaume, transportant sa petite amie, une fourmi qui répondait au doux nom de Nastrine; un petit hippopotame qui ne voulait pas finir sa soupe; un poussin de vague aspect rabbinique[3] qui jouait avec un lion. Ces jours-là, je déjeunais seul, devant la photographie de Maman qu'elle avait mise aussi près de la tasse pour me tenir compagnie. [...]

Je me rappelle qu'en quittant l'appartement, je fermais la porte au lasso. J'avais cinq ou six ans et j'étais de très petite taille. Le pommeau[4] de la porte étant très haut placé, je sortais une ficelle de ma poche, je visais le pommeau en fermant un

---

1. Canotier: chapeau de paille.
2. Flanelles: morceaux d'étoffe légère.
3. Rabbinique: qui rappelle la silhouette d'un rabbin, un religieux juif.
4. Pommeau: poignée.

œil et, lorsque j'avais attrapé la boule de porcelaine, je tirais à moi. Comme mes parents me l'avaient recommandé, je frappais ensuite plusieurs fois contre la porte pour voir si elle était bien fermée. Ce tic m'est resté.

Albert Cohen, *Le Livre de ma mère* [1954],
Belin-Gallimard, « Classico », 2011.

Romain Gary, *La Promesse de l'aube*

Dans cette autobiographie, Romain Gary (1914-1980) raconte son enfance en Pologne puis en France. Il explique notamment tous les efforts qu'il a dû déployer pour ne pas décevoir sa mère, qui croit en un destin extraordinaire pour son fils. Dans cet extrait, l'auteur évoque les quelques bribes d'information qu'il possède sur la mort de son père.

Groupements de textes

Mon père avait quitté ma mère peu après ma naissance et chaque fois que je mentionnais son nom, ce que je ne faisais que très rarement, ma mère et Aniela[1] se regardaient rapidement et le sujet de conversation était immédiatement changé. Je savais bien, cependant, par des bribes de conversation, surprises par-ci, par-là, qu'il y avait là quelque chose de gênant, d'un peu douloureux même, et j'eus vite fait de comprendre qu'il valait mieux éviter d'en parler.

Je savais aussi que l'homme qui m'avait donné son nom avait une femme, des enfants, qu'il voyageait beaucoup, allait en Amérique, et je l'ai rencontré plusieurs fois. Il était d'un aspect doux, avait de grands yeux bons et des mains très soignées ; avec moi, il était toujours un peu embarrassé et très gentil, et lorsqu'il me regardait ainsi, tristement, avec, me semblait-il, un peu de reproche, je baissais toujours le regard et j'avais, je ne sais pourquoi, l'impression de lui avoir joué un vilain tour.

---

1. Aniela : domestique au service de la famille.

Il n'est vraiment entré dans ma vie qu'après sa mort et d'une façon que je n'oublierai jamais. Je savais bien qu'il était mort pendant la guerre dans une chambre à gaz, exécuté comme Juif, avec sa femme et ses deux enfants, alors âgés, je crois, de quelque quinze et seize ans. Mais ce fut seulement en 1956 que j'appris un détail particulièrement révoltant sur sa fin tragique. Venant de Bolivie, où j'étais Chargé d'Affaires, je m'étais rendu à cette époque à Paris, afin de recevoir le Prix Goncourt, pour un roman que je venais de publier, *Les Racines du Ciel*. Parmi les lettres qui m'étaient parvenues à cette occasion, il y en avait une qui me donnait des détails sur la mort de celui que j'avais si peu connu.

Il n'était pas du tout mort dans la chambre à gaz, comme on me l'avait dit. Il était mort de peur, sur le chemin du supplice, à quelques pas de l'entrée.

La personne qui m'écrivait la lettre avait été le préposé à la porte, le réceptionniste – je ne sais comment lui donner un nom, ni quel est le titre officiel qu'il assumait.

Dans sa lettre, sans doute pour me faire plaisir, il m'écrivait que mon père n'était pas arrivé jusqu'à la chambre à gaz et qu'il était tombé raide mort de peur, avant d'entrer.

Je suis resté longuement la lettre à la main ; je suis ensuite sorti dans l'escalier de la N.R.F.[1], je me suis appuyé à la rampe et je suis resté là, je ne sais combien de temps, avec mes vêtements coupés à Londres, mon titre de Chargé d'Affaires de France, ma croix de la Libération, ma rosette de la Légion d'honneur, et mon Prix Goncourt.

J'ai eu de la chance : Albert Camus est passé à ce moment-là et, voyant bien que j'étais indisposé, il m'a emmené dans son bureau.

L'homme qui est mort ainsi était pour moi un étranger, mais ce jour-là, il devint mon père, à tout jamais.

Romain Gary, *La Promesse de l'aube* [1960],
Gallimard, « Folioplus classiques », 2009.

---

1. N.R.F. : *Nouvelle revue française* ; nom d'une revue littéraire publiée par les éditions Gallimard.

Annie Ernaux, *La Place*

Dans ce récit autobiographique, Annie Ernaux (née en 1940) évoque sa jeunesse et rend hommage à son père. Elle rend également compte de la distance qui s'est établie peu à peu entre cet ancien ouvrier, devenu petit commerçant dans un village normand, et la jeune fille brillante, future enseignante, qu'elle était alors.

Il n'osait plus me raconter des histoires de son enfance. Je ne lui parlais plus de mes études. Sauf le latin, parce qu'il avait servi la messe, elles lui étaient incompréhensibles et il refusait de faire mine[1] de s'y intéresser, à la différence de ma mère. Il se fâchait quand je me plaignais du travail ou critiquais les cours. Le mot « prof » lui déplaisait, ou « dirlo », même « bouquin ». Et toujours la peur ou peut-être le désir que je n'y arrive pas.

Il s'énervait de me voir à longueur de journée dans les livres, mettant sur leur compte mon visage fermé et ma mauvaise humeur. La lumière sous la porte de ma chambre le soir lui faisait dire que je m'usais la santé. Les études, une souffrance obligée pour obtenir une bonne situation et *ne pas prendre*[2] *un ouvrier*. Mais que j'aime me casser la tête lui paraissait suspect. Une absence de vie à la fleur de l'âge. Il avait parfois l'air de penser que j'étais malheureuse.

Devant la famille, les clients, de la gêne, presque de la honte que je ne gagne pas encore ma vie à dix-sept ans, autour de nous toutes les filles de cet âge allaient au bureau, à l'usine ou servaient derrière le comptoir de leurs parents. Il craignait qu'on ne me prenne pour une paresseuse et lui pour un crâneur. Comme une excuse : « On ne l'a jamais poussée, elle avait ça dans elle. » Il disait que j'apprenais bien, jamais que je travaillais bien. Travailler, c'était seulement travailler de ses mains.

Les études n'avaient pas pour lui de rapport avec la vie ordinaire. Il lavait la salade dans une seule eau, aussi restait-il

---

1. Faire mine: faire semblant.
2. Prendre: prendre pour époux.

souvent des limaces. Il a été scandalisé quand, forte des principes de désinfection reçus en troisième, j'ai proposé qu'on la lave dans plusieurs eaux. Une autre fois, sa stupéfaction a été sans bornes, de me voir parler anglais avec un auto-stoppeur qu'un client avait pris dans son camion. Que j'aie appris une langue étrangère en classe, sans aller dans le pays, le laissait incrédule.

Annie Ernaux, *La Place* [1983], Belin-Gallimard, « Classico », 2012.

Autour de l'œuvre

Interview imaginaire d'Albert Camus

**Albert Camus
(1913-1960)**

▶▶▶ *Pouvez-vous nous raconter
en quelques mots votre enfance?*

Je suis né en 1913 à Mondovi en Algérie. Mon père était d'origine alsacienne, il travaillait dans un domaine viticole pour un négociant en vin d'Alger. Mobilisé au début de la Première Guerre mondiale, il est mort à la suite de ses blessures. Avec ma mère et mon frère, nous sommes allés vivre à Belcourt, dans un quartier populaire d'Alger.

Grâce à mon instituteur Louis Germain, qui a cru en moi, je suis entré au lycée Bugeaud, puis à la faculté où j'ai obtenu un diplôme de philosophie. En arrivant au lycée, j'ai eu honte de ma pauvreté et de ma famille, j'y ai en effet connu la comparaison alors qu'auparavant tout le monde était comme moi. La pauvreté me paraissait normale.

▶▶ On vous décrit souvent comme un « écrivain engagé ».

J'aime mieux les hommes engagés que les littératures engagées. Du courage dans sa vie et du talent dans ses œuvres, ce n'est déjà pas si mal. Mais il est vrai que j'ai pris position dans un certain nombre de conflits comme la guerre d'Algérie (1956-1962), la répression sanglante des révoltes de Berlin-Est (juin 1953) ou encore l'intervention soviétique à Budapest (1956). J'ai aussi écrit de nombreux articles dans le journal politique *Combat*, né clandestinement pendant la Seconde Guerre mondiale afin de diffuser les idées de la Résistance. Mais c'est surtout la question de l'engagement qui m'intéresse. Jusqu'où peut-on aller pour défendre une cause ? Peut-on commettre un acte terroriste qui mettrait en danger la vie de personnes innocentes ? Je ne pense pas... J'ai posé cette question dans ma pièce *Les Justes*, inspirée de faits historiques : au deuxième acte, Kaliayev, un révolutionnaire russe, renonce à jeter une bombe sur le carrosse du grand-duc Serge en raison de la présence d'enfants à son bord.

▶▶ Comment avez-vous commencé votre carrière dans le monde du théâtre ?

En même temps que je commençais l'écriture de mon premier ouvrage, *L'Envers et l'Endroit*, j'ai fondé, en 1936, et dirigé le « théâtre du Travail », qui est devenu le « théâtre de l'Équipe » après ma rupture avec le parti communiste.

▶▶ À quel moment avez-vous écrit Le Malentendu ?

Après avoir publié un roman (*L'Étranger*, 1942) et un essai (*Le Mythe de Sisyphe*, 1942), je me suis essayé à l'écriture théâtrale. *Le Malentendu* a été publié le 20 mai 1944. La première représentation a eu lieu le 24 juin à Paris, au théâtre des Mathurins. La mise en scène était de Marcel Herrand et c'est l'actrice Maria Casarès, très talentueuse, qui jouait le rôle de Martha.

▶▶ La pièce a-t-elle eu du succès ?

Non ! Ce fut un échec complet ! Je crois que le public, après la parution de mes deux précédents ouvrages, s'attendait à voir une pièce engagée sur la révolte. Or, ils ont eu l'impression d'assister à une pièce ordinaire, qui raconte les exploits d'une meurtrière en série. J'ai le sentiment que quelque chose dans mon langage n'a pas été compris du public. Un malentendu, en quelque sorte...

▶▶▶ *On dit que les sources du* **Malentendu** *sont diverses et variées.*

C'est vrai. Je me suis d'abord inspiré d'un fait divers, lu dans *L'Écho d'Alger*, qui m'a beaucoup marqué. L'article, paru le 6 janvier 1935, rapportait une « effroyable tragédie »[1] : aidée de sa fille, une hôtelière avait tué, pour le voler, un voyageur qui n'était autre que son propre fils. En apprenant l'identité du jeune homme, la mère s'était pendue et la fille s'était jetée dans un puits. Cela m'a rappelé le fameux mythe de « l'auberge sanglante »... J'ai d'ailleurs déjà raconté cette histoire dans *L'Étranger* : sous la paillasse de sa cellule, le personnage principal, Meursault, trouve un « vieux morceau d'un petit journal »[2] qui relate un épisode similaire.

Mais, en vérité, il y a une autre source. Pour moi, *Le Malentendu* est aussi une version tragique de la parabole du retour du fils prodigue.

▶▶▶ **Le Malentendu** *fait partie d'un cycle, non ?*

En effet, *Le Malentendu*, ainsi que *Caligula*, *L'Étranger* et *Le Mythe de Sisyphe* forment ce que j'appelle « le cycle de l'absurde ». Dans ces ouvrages, je mène une réflexion sur la dimension absurde de la condition humaine.

▶▶▶ *À la fin de votre vie, vous recevez le prix Nobel de littérature, quelle consécration !*

Au départ, ce prix m'a plutôt effrayé, j'avais l'impression que l'on mettait un point final à mon œuvre ! Lorsque je l'ai reçu, en 1957, ma première pensée a été pour ma mère et la seconde pour mon instituteur Louis Germain. Sans lui, rien de tout cela ne serait arrivé...

---

1. *L'Écho d'Alger*, 6 janvier 1935.
2. Albert Camus, *L'Étranger*.

Contexte historique et culturel

Le théâtre sous l'Occupation (1940-1944)

Au théâtre, la période de l'Occupation, pendant la Seconde Guerre mondiale, est particulièrement féconde. Le public, avide de divertissement, afflue dans les salles en dépit de conditions de représentation difficiles. Les coupures d'électricité sont nombreuses et les auteurs doivent faire preuve d'ingéniosité pour déjouer les pièges de la censure alors en vigueur.

Trois pièces ont particulièrement marqué le public : *Les Mouches* de Jean-Paul Sartre (1943), *Antigone* de Jean Anouilh (1944), et *Caligula* (1945) d'Albert Camus. Bien qu'elles représentent souvent des personnages empruntés à l'Antiquité et qu'elles prennent place à des périodes éloignées, ces pièces se prêtent à une lecture politique et font écho à l'actualité de l'époque. Elles dénoncent le pouvoir et la folie des tyrans, et mettent en scène la révolte de l'Homme face à ces injustices.

Le traumatisme des deux guerres mondiales

Au xxᵉ siècle, l'Europe connaît une crise des idéologies et des mentalités. La banalisation de la violence et de la haine, due à la succession des deux guerres mondiales, en est à l'origine. Comme l'explique Albert Camus dans *L'Été* : « J'ai grandi, avec tous les hommes de mon âge, aux tambours de la première guerre, et notre histoire, depuis, n'a pas cessé d'être meurtre, injustice ou violence. » En effet, la Première Guerre mondiale a été extrêmement meurtrière et de nombreux hommes sont morts dans les tranchées. Puis, alors que l'Europe cherche à se reconstruire et à oublier l'horreur du conflit, la Seconde Guerre mondiale éclate et Hitler lance la « solution finale », c'est-à-dire l'extermination systématique des Juifs d'Europe.

Le Malentendu témoigne de ce traumatisme. Albert Camus y questionne en effet l'éclatement familial, le départ des fils, l'importance de la mort et du crime, le poids de la culpabilité.

Le sentiment de l'absurde

Le traumatisme engendré par les deux guerres mondiales et notamment par l'extermination des Juifs, a perturbé la représentation du monde et la foi en l'Homme. Après de telles horreurs, l'Homme peut-il encore croire en Dieu ? Pour quelles causes doit-il se battre ? Cette perte de repères est sensible dans de nombreuses œuvres littéraires et artistiques de l'époque : les artistes s'interrogent et tentent de répondre à ces questions.

Comme d'autres écrivains et philosophes de son temps, tels André Malraux ou Jean-Paul Sartre, Albert Camus a fait part dans ses écrits de ce sentiment d'impuissance et d'inutilité que ressent l'Homme qui ne trouve plus en la croyance divine les réponses à ses questions. Une vision tragique du monde semble s'imposer. Comme l'explique Albert Camus dans *Le Mythe de Sisyphe* : «L'absurde naît de cette confrontation entre l'appel humain et le silence déraisonnable du monde». L'Homme contemporain est donc confronté au sentiment de l'absurde : il vit mais ignore si cette vie a un sens.

Pour illustrer ce sentiment, Albert Camus compare l'Homme à Sisyphe, une des grandes figures de la mythologie grecque. Ce dernier, pour avoir osé défier les dieux, est contraint à monter un rocher en haut d'une colline. Une fois arrivé au sommet, le rocher retombe. Sisyphe est ainsi condamné à répéter la même action perpétuellement, sans connaître les raisons qui motivent ce geste. Il en est de même pour l'être humain : il vit et répète inlassablement les tâches de la vie quotidienne, bien que celles-ci aient perdu tout leur sens. Ce sentiment de l'absurde, qui traverse l'œuvre d'Albert Camus, trouve son prolongement dans le théâtre d'Eugène Ionesco ou de Samuel Beckett. Ce mouvement répond à une profonde interrogation sur le sens de la vie et la place de l'Homme, confronté à l'impossibilité de communication et d'harmonie.

Repères chronologiques

1914-1918	**Première Guerre mondiale.**
1926	André Gide, *Les Faux-Monnayeurs* (roman).
1933	**Hitler accède au pouvoir en Allemagne.**
1935	Albert Camus adhère au parti communiste. Il rompt avec le parti deux ans plus tard.
1936-1939	**Guerre civile en Espagne.**
1937	Albert Camus crée le théâtre de l'Équipe à Alger. Pablo Picasso, *Guernica* (peinture). André Malraux, *L'Espoir* (roman).
1938	Albert Camus met en scène, au théâtre de l'Équipe, *Le Retour de l'enfant prodigue* d'André Gide. Jean-Paul Sartre, *La Nausée* (roman).
1939	**Annexion de la Tchécoslovaquie par l'Allemagne.**
1939-1945	**Seconde Guerre mondiale.**
1941	Exécution de Gabriel Péri, résistant et membre du Comité central du parti communiste.
1942	Albert Camus, *L'Étranger* (roman) et *Le Mythe de Sisyphe* (essai).
1944	Première représentation du *Malentendu* au théâtre des Mathurins, à Paris. Albert Camus, *Caligula* (théâtre).
1945	**Bombardement atomique sur Hiroshima et Nagasaki, au Japon.**
1947	**Début de la guerre froide.**
1951	Albert Camus, *L'Homme révolté* (essai).
1956-1962	**Guerre d'Algérie.**
1957	Albert Camus reçoit le prix Nobel de littérature.
1960	Mort d'Albert Camus.

Les grands thèmes de l'œuvre

Des destins tragiques

La fatalité

Dans la tragédie classique, les héros ne peuvent échapper à leur destin, qui est dicté par les dieux. Cet assujettissement se retrouve dans *Le Malentendu* d'Albert Camus : Martha, dans son monologue de la scène 2 de l'acte III, dit sentir le poids d'une présence divine. Dans le pays où elle souhaite aller, les hommes vivent heureux et libres car ils ne sont pas soumis à la volonté des dieux (« les dieux n'[y] abordent pas », l. 1046), alors que, dans son pays d'origine, « toute la terre est dessinée pour que le visage se lève et que le regard supplie [Dieu] » (l. 1047-1048). Mais dans le monde mis en scène par Albert Camus, le regard suppliant n'obtient aucune réponse et Dieu n'intervient que pour signifier son refus d'aider l'Homme. Ainsi, lorsque Maria supplie Dieu à la fin de la pièce de lui « donn[er] la main » (l. 1238), le vieux serviteur, qui répond à son appel, lui dit fermement : « Non ! » (l. 1243).

De manière moins explicite, l'emploi de certains termes traduit également l'idée de la présence d'une puissance supérieure qui aurait décidé de tout à l'avance. Ainsi, Martha explique que, pendant des années, sa mère a tenu « d'une main ferme les jambes de ceux qui *devaient* mourir » (l. 956). La mère, en découvrant l'identité de sa dernière victime, dit qu'elle savait qu'il « *faudrait* en finir » (l. 913). Les verbes « devoir » et « falloir » renvoient ici à des impératifs catégoriques et indiquent qu'une force supérieure, impérieuse, est bien à l'œuvre et préside au destin des personnages.

Enfin, Martha et sa mère semblent ne pouvoir échapper au lieu dans lequel elles sont confinées ni à la vie qu'elles ont choisie. Toute la pièce se passe dans l'auberge et Martha ne cesse de dire qu'elle voudrait fuir ce pays « d'ombre » (l. 43), « sans horizon » (l. 41) pour aller rejoindre les grands espaces dégagés près de la mer. Les héroïnes du *Malentendu* sont enfermées dans l'auberge comme elles sont enfermées dans leur condition de criminelles.

L'omniprésence de la mort

La mort est omniprésente dès le début de la pièce. À la scène 1, le lecteur apprend que des événements tragiques se déroulent dans cette auberge: Martha et sa mère tuent les voyageurs fortunés qui passent et les dépouillent de leur argent. Elles veulent fuir leur pays natal et aller vivre près de la mer, dans un pays où le soleil fait «des corps resplendissants mais vidés par l'intérieur» (l. 99), c'est-à-dire un endroit où l'on oublie tout.

L'intrigue même de la pièce tourne autour du meurtre que s'apprêtent à commettre les deux femmes et dont Jan est la victime. Durant les deux premiers actes, le crime se met peu à peu en place (Martha vérifie que Jan est venu seul à l'auberge, p. 32; puis elle lui apporte une tasse de thé contenant un somnifère, p. 62) mais il se réalise hors scène. À l'acte III, ce sont les conséquences de cet acte qui sont représentées. Ainsi, toute la pièce porte sur un crime qui n'est finalement jamais montré au spectateur.

Enfin, comme dans la tragédie classique, le dénouement est fatal pour les héros puisque les deux héroïnes du *Malentendu* se suicident à la fin de la pièce. La mère, après avoir découvert qu'elle venait de tuer son fils, se noie dans la rivière où elle avait jeté le corps de Jan pour se punir de son crime. Martha, elle, souhaite mourir seule dans sa chambre. Ce n'est pas la culpabilité qui la pousse au suicide («si je l'avais reconnu, [...] cela n'aurait rien changé», l. 998): elle se tue car elle n'a plus rien à attendre de la vie après la mort de sa mère, qui marque la fin de son destin de criminelle.

L'incommunicabilité

Dans *Le Malentendu*, le tragique naît aussi de l'incapacité des héros de la pièce à se parler et à se comprendre. Tout au long de la pièce, la communication semble impossible. En effet, parce qu'il souhaiterait être reconnu d'emblée par sa mère et sa sœur, Jan n'avoue pas clairement son identité. Pourtant, les sous-entendus et les allusions ne manquent pas: «Mais... un fils qui vous aurait prêté son bras, vous ne l'auriez peut-être pas oublié?» (l. 446). Mais jamais Jan ne dit son nom ni ne déclare qu'il est le «fils prodige» tant attendu.

Dans la scène 3 de l'acte I, sa femme Maria ne cesse de lui reprocher son attitude et lui rappelle ce qui lui paraît être une « évidence » : « Il y a des cas où l'on est bien obligé de faire comme tout le monde. Quand on veut être reconnu, on se nomme » (l. 148).

Albert Camus dit lui-même dans ses *Carnets* que c'est cette erreur qui fait du *Malentendu* une pièce tragique : « Tout le malheur des hommes vient de ce qu'ils ne prennent pas un langage simple. Si le héros du *Malentendu* avait dit : "Voilà. C'est moi et je suis votre fils" le dialogue était possible [...]. Il n'y avait plus de tragédie puisque le sommet de toutes les tragédies est dans la surdité des héros ».

Le thème de l'incommunicabilité est donc omniprésent, à tel point que *Le Malentendu* s'apparente à une tragédie du langage qui, s'il n'est pas déconstruit et reste intelligible pour les spectateurs, perd de sa valeur puisqu'il ne permet aucune communication entre les personnages. Martha, dans la scène 5 de l'acte I, ordonne ainsi à Jan d'adopter le « langage des clients » (l. 357). Pour elle, il pose trop de questions sur l'intimité des hôtelières. Ce rappel à l'ordre systématique met toujours plus de distance entre lui et sa sœur et empêche Jan de révéler son identité.

Le crime

La fascination pour le meurtre

Il est troublant de voir que, dans *Le Malentendu*, le meurtre n'est pas un motif de rejet ou de condamnation. Dès la première scène, la mère tente de minimiser l'horreur des crimes qu'elle commet régulièrement avec sa fille en affirmant que tuer les voyageurs selon leur mode opératoire est presque une manière de leur rendre service et de leur offrir une mort douce : « C'est à peine un crime, tout juste une intervention, un léger coup de pouce à des vies inconnues. [...] La vie est plus cruelle que nous » (l. 86-89). En justifiant son geste de la sorte, la mère en viendrait presque à se convaincre que le meurtre est une bonne action. D'ailleurs, à la fin de la pièce, le crime devient une belle action : « Le crime est beau » (l. 903) lance-t-elle juste avant de découvrir qu'elle vient de tuer son fils. Le sentiment esthétique témoigne de la fascination que fait naître en elle le meurtre.

Mais c'est surtout Martha qui est convaincue de l'utilité de tuer les voyageurs. Elle affirme n'avoir aucun remords, même après avoir tué son frère. Sa passion insensée pour le crime se perçoit dans son obstination. Elle tient absolument à tuer ce nouveau voyageur bien que sa mère soit contre et que rien n'indique que la fortune de Jan soit suffisante pour lui permettre de rejoindre le pays dont elle rêve.

La solitude du criminel

À la fin de la pièce, Martha et sa mère ne partagent plus qu'une profonde solitude. Celle-ci est d'ailleurs le lot de tous les criminels, comme le dit Martha dans la dernière scène: «Le crime est une solitude, même si on se met à mille pour l'accomplir» (l. 1175-1176).

Dans la scène 1 de l'acte I, lorsque la mère reproche à sa fille de ne pas rire et de ne pas faire des «folies» comme les autres jeunes femmes de son âge, cette dernière lui répond: «Leurs folies ne sont rien auprès des nôtres, vous le savez» (l. 28). Les «folies» de Martha sont des «folies criminelles» et sa mère est la seule personne qui puisse les comprendre. L'erreur de Martha a été de croire que le crime pouvait les rapprocher et leur constituer une sorte de «foyer» (l. 1172). Mais l'expérience lui a montré qu'on est seul quand on tue.

Le poids de la culpabilité

Même si Martha et sa mère assassinent les voyageurs qui passent de sang-froid, elles ne restent pas totalement indifférentes face aux actes qu'elles commettent. Elles rencontrent des problèmes techniques – «nous avons trop peiné, la dernière fois, dans les deux étages» (l. 93) – qui marquent la difficulté qui existe à tuer d'innocentes victimes. Mais elles sont surtout accablées par le poids de la culpabilité. Dès le début, la mère dit avoir «des goûts de religion» (l. 20) et déclare qu'elle aspire à la «paix» et à «un peu d'abandon» (l. 18-19). Lorsqu'elle dit être «fatiguée» (l. 14), elle désigne avant tout son besoin d'un «repos moral» (l. 17-20) car elle ne peut plus supporter d'être une criminelle. À la fin de la pièce, elle parle d'ailleurs de « punition » (l. 946) et dit que « l'enfer » (l. 953) a commencé avec le meurtre de son fils. Ces termes montrent qu'elle est rongée par le remords et qu'elle est persuadée qu'une puissance divine s'est manifestée pour lui faire payer ses crimes.

Martha se sent moins coupable mais aspire aussi à une forme de repos : « j'en ai assez de porter toujours mon âme, j'ai hâte de trouver ce pays où le soleil tue les questions » (l. 101-102). La métaphore du « poids de l'âme » traduit bien la mauvaise conscience qui agite la criminelle.

Vers l'écrit du Brevet

L'épreuve de français du Diplôme national du Brevet dure trois heures. Le sujet se compose de deux parties. La première partie est constituée de questions sur un texte, d'un exercice de réécriture et d'une dictée. La deuxième partie est une rédaction.

SUJET

Martha et sa mère sont deux hôtelières qui tiennent une auberge. Un nouveau voyageur vient d'arriver et de demander une chambre. L'extrait se situe au début de la pièce.

MARTHA, *avec agitation.*

Ah ! mère ! Quand nous aurons amassé beaucoup d'argent et que nous pourrons quitter ces terres sans horizon, quand nous laisserons derrière nous cette auberge et cette ville pluvieuse, et que nous oublierons ce pays d'ombre, le jour où nous serons
5 enfin devant la mer dont j'ai tant rêvé, ce jour-là, vous me verrez sourire. Mais il faut beaucoup d'argent pour vivre devant la mer. C'est pour cela qu'il ne faut pas avoir peur des mots. C'est pour cela qu'il faut s'occuper de celui qui doit venir. S'il

est suffisamment riche, ma liberté commencera peut-être avec
10 lui. Vous a-t-il parlé longuement, mère ?

LA MÈRE

Non. Deux phrases en tout.

MARTHA

De quel air vous a-t-il demandé sa chambre ?

LA MÈRE

Je ne sais pas. Je vois mal et je l'ai mal regardé. Je sais, par expérience, qu'il vaut mieux ne pas les regarder. Il est plus facile de
15 tuer ce qu'on ne connaît pas. *(Un temps.)* Réjouis-toi, je n'ai pas
peur des mots maintenant.

MARTHA

C'est mieux ainsi. Je n'aime pas les allusions[1]. Le crime est le
crime, il faut savoir ce que l'on veut. Et il me semble que vous
le saviez tout à l'heure, puisque vous y avez pensé, en répondant
20 au voyageur.

LA MÈRE

Je n'y ai pas pensé. J'ai répondu par habitude.

MARTHA

L'habitude ? Vous le savez, pourtant, les occasions ont été rares !

LA MÈRE

Sans doute. Mais l'habitude commence au second crime. Au
premier, rien ne commence, c'est quelque chose qui finit. Et
25 puis, si les occasions ont été rares, elles se sont étendues sur
beaucoup d'années, et l'habitude s'est fortifiée du souvenir.
Oui, c'est bien l'habitude qui m'a poussée à répondre, qui m'a
averti[2] de ne pas regarder cet homme, et assurée qu'il avait le
visage d'une victime.

---

1. **Allusions** : sous-entendus.
2. **Qui m'a avertie** : qui m'a prévenue, qui m'a mise en garde.

MARTHA

30 Mère, il faudra le tuer.

LA MÈRE, *plus bas.*

Sans doute, il faudra le tuer.

MARTHA

Vous dites cela d'une singulière façon.

LA MÈRE

Je suis lasse[1], en effet, et j'aimerais qu'au moins celui-là soit le dernier. Tuer est terriblement fatigant. Je me soucie peu de
35 mourir devant la mer ou au centre de nos plaines, mais je voudrais bien qu'ensuite nous partions ensemble.

MARTHA

Nous partirons et ce sera une grande heure ! Redressez-vous, mère, il y a peu à faire. Vous savez bien qu'il ne s'agit même pas de tuer. Il boira son thé, il dormira, et tout vivant encore, nous
40 le porterons à la rivière. On le retrouvera dans longtemps, collé contre un barrage, avec d'autres qui n'auront pas eu sa chance et qui se seront jetés dans l'eau, les yeux ouverts. Le jour où nous avons assisté au nettoyage du barrage, vous me le disiez, mère, ce sont les nôtres qui souffrent le moins, la vie est plus
45 cruelle que nous. Redressez-vous, vous trouverez votre repos et nous fuirons enfin d'ici.

LA MÈRE

Oui, je vais me redresser. Quelquefois, en effet, je suis contente à l'idée que les nôtres n'ont jamais souffert. C'est à peine un crime, tout juste une intervention, un léger coup de pouce
50 donné à des vies inconnues. Et il est vrai qu'apparemment la vie est plus cruelle que nous. C'est peut-être pour cela que j'ai du mal à me sentir coupable.

Albert Camus, *Le Malentendu*, acte I, scène 1.

---

1. **Lasse**: fatiguée.

Première partie

■ *Questions* (15 points)

I. L'auberge du crime (6 points)

1. a. Dans cette scène, qu'apprend le spectateur sur Martha et sa mère ?
(0,5 point)
b. Relevez une phrase qui l'indique. **(0,5 point)**

2. Sont-elles des criminelles depuis longtemps ? Justifiez votre réponse.
(1 point)

3. Décrivez précisément la manière dont les deux femmes tuent
les voyageurs. Appuyez-vous sur des citations du texte pour répondre.
(2 points)

4. Justifiez l'accord du participe passé « jetés » (l. 42). **(1 point)**

5. Pour quelles raisons la mère n'a-t-elle pas bien regardé le voyageur ?
(1 point)

II. Le mobile du meurtre (5 points)

6. Quel est le mobile du crime ? **(1 point)**

7. Relevez les expressions qu'utilise Martha pour décrire le pays
où elle vit. Quel commentaire pouvez-vous faire ? **(2 points)**

8. a. Par quel type de paysage Martha est-elle attirée ? Quelle différence
essentielle y a-t-il entre ces paysages rêvés et l'endroit où elle vit ?
(1 point)
b. Donnez la nature et la fonction du groupe de mots « dont j'ai tant
rêvé » (l. 5). **(1 point)**

III. La justification du crime (4 points)

9. Relevez deux indices qui montrent que la mère pourrait hésiter à tuer le voyageur. **(1 point)**

10. La mère, pour rassurer sa fille, lui dit de se réjouir car « [elle n'a] pas peur des mots maintenant » (l. 15-16). À votre avis, de quels mots parle-t-elle ? **(1 point)**

11. Quel argument Martha avance-t-elle pour atténuer la culpabilité de sa mère ? **(1 point)**

12. La mère affirme que le crime est « tout juste une intervention, un léger coup de pouce donné à des vies inconnues » (l. 49-50). Quelle figure de style est employée ici ? **(1 point)**

■ *Réécriture* (4 points)

« Il boira son thé, il dormira, et tout vivant encore, nous le porterons à la rivière. On le retrouvera dans longtemps, collé contre un barrage, avec d'autres qui n'auront pas eu sa chance et qui se seront jetés dans l'eau, les yeux ouverts. »

Réécrivez ce passage au passé simple. Vous veillerez à faire toutes les transformations nécessaires et à respecter la concordance des temps.

■ *Dictée* (6 points)

Votre professeur vous dictera la fin du monologue de Martha de la scène 2 de l'acte III (l. 1017-1052, p. 89-90).

Deuxième partie

Vous traiterez l'un des deux sujets au choix.
L'utilisation d'un dictionnaire de la langue française est autorisée.

■ *Sujet d'imagination* (15 points)

Dans cette scène, Martha fait part à sa mère de son désir de partir dans un pays lointain, au bord de la mer. Imaginez leur dialogue à leur arrivée, en découvrant les lieux dont elles ont tant rêvé.

Critères de réussite

– Respect des règles d'écriture du texte théâtral avec didascalies indiquant les gestes et les intonations des personnages.
– Utilisation du vocabulaire des sentiments.
– Qualité de la langue.

■ *Sujet de réflexion* (15 points)

Trouvez-vous convaincante la justification des crimes de Martha ? Vous donnerez votre réponse dans un développement argumenté et organisé.

Critères de réussite

– Présence d'arguments introduits de façon organisée.
– Illustration par des exemples tirés de la vie quotidienne et des textes étudiés en classe.
– Qualité de la langue.

Fenêtres sur...

 Des ouvrages à lire

La tragédie au xxe siècle

• Jean Cocteau, *La Machine infernale*, [1934], LGF, « Le livre de poche », 1992.
La pièce raconte l'histoire d'Œdipe et s'ouvre sur un dialogue entre Jocaste et Tirésias, sur les remparts de Thèbes. Le fantôme de Laïos tente de les avertir du danger qu'Œdipe représente. Jean Cocteau propose ici une version originale du mythe d'Œdipe.

• Albert Camus, *Caligula* [1944], Gallimard, « Folioplus classiques », 2012.
Caligula est un empereur romain connu pour être devenu un tyran fou et lunatique. Il prend notamment un très grand plaisir à persécuter son entourage. De cette folie et de ce désintérêt pour la vie naît le tragique de la pièce d'Albert Camus qui, comme Le Malentendu, appartient au « cycle de l'absurde ».

• Jean Anouilh, *Antigone* [1944], La table ronde, «La petite vermillon», 2008.

En pleine occupation allemande, pendant la Seconde Guerre mondiale, Jean Anouilh réécrit le mythe d'Antigone, symbole de révolte contre le pouvoir. L'héroïne de la pièce désobéit aux ordres du roi Créon en allant recouvrir le corps de son frère mort Polynice, pour lui offrir une sépulture décente. Alors que le roi est prêt à lui pardonner son geste, Antigone s'obstine, courant ainsi à sa perte...

• Jean Anouilh, *Médée* [1946], La table ronde, «La petite vermillon», 1997.

Médée est terriblement jalouse car Jason, l'homme qu'elle aime, souhaite la répudier afin d'épouser Créuse, la fille de Créon. Pour accomplir son désir de vengeance, elle est prête à détruire tout ce qui l'entoure, y compris à tuer les deux enfants qu'elle a eus avec Jason.

L'histoire du théâtre

• André Degaine, *Histoire du théâtre dessinée, De la préhistoire à nos jours, tous les temps et tous les pays*, Nizet, 1992.

Cet ouvrage illustré et synthétique retrace l'histoire du théâtre, de ses origines à nos jours, de manière divertissante. Les chapitres 7 et 10 portent notamment sur l'évolution de la tragédie.

Des films et une série télévisée à voir

(Toutes les œuvres citées ci-dessous sont disponibles en DVD.)

Autour de «l'auberge rouge»

• Claude Autant-Lara, *L'Auberge rouge*, noir et blanc, 1951.

Dans une auberge isolée, un couple d'hôteliers a pris l'habitude d'assassiner les visiteurs qui voyagent seuls pour les détrousser. Claude Autant-Lara offre une version burlesque du terrifiant mythe de l'auberge rouge. Si les bourreaux sont effrayants, le personnage incarné par Fernandel, acteur connu pour ses rôles comiques, apporte une touche de douceur.

• Gérard Krawczyk, *L'Auberge rouge*, couleur, 2007.
Dans cette version modernisée du film de 1951, Gérard Krawczyk revisite le mythe de l'auberge rouge en confiant les rôles principaux à des acteurs habitués aux comédies, Josiane Balasko, Gérard Jugnot et Christian Clavier, donnant une autre dimension à cette histoire terrifiante.

Des histoires de crime

• Alfred Hitchcock, *Le crime était presque parfait*, couleur, 1954.
Après avoir découvert que sa riche épouse le trompe avec un homme plus jeune, une ancienne star du tennis échafaude un plan diabolique pour l'assassiner. Mais tout ne se passe pas comme prévu et le meurtrier n'est pas celui qu'on pourrait croire...

• Tim Burton, *Sweeney Todd, le diabolique barbier de Fleet Street*, couleur, 2008.
Ce film musical met en scène Sweeney Todd, incarcéré à tort pendant quinze ans et animé par un vif désir de vengeance. Dans son échoppe de barbier, il assassine les responsables de son arrestation à l'aide de son rasoir, tandis que sa complice et voisine se débarrasse des corps en les réduisant en farce pour ses tourtes à la viande.

• James Manos Jr., *Dexter*, couleur, 2006-2014.
Cette série télévisée américaine suit le quotidien de Dexter Morgan, expert scientifique du service médico-légal de Miami le jour et tueur en série la nuit.

Une mise en scène d'une tragédie moderne

• Mise en scène d'*Antigone* de Jean Anouilh par Nicolas Briançon au théâtre Marigny, 2003, captation par Moustafa Sarr.
Pour représenter la révolte d'Antigone, Nicolas Briançon a choisi un décor épuré. Les costumes sont simples et dans des tons neutres: noir, gris ou blanc. Aucune référence à l'Antiquité n'est donnée à voir si ce n'est le demi-cercle de la scène qui rappelle la forme des théâtres antiques. Au contraire, le metteur en scène fait voyager le spectateur dans toutes les époques et dans tous les univers, de l'Allemagne nazie aux gardes de Matrix.

🏛 *Des œuvres d'art à découvrir*

(Toutes les œuvres citées ci-dessous peuvent être vues sur Internet.)

• Rembrandt, *Le Retour du fils prodigue*, huile sur toile, 1668, musée de l'Ermitage, Saint-Pétersbourg.

• Auguste Rodin, *L'Enfant prodigue*, bronze, 1905, musée Rodin, Paris.

• Evelyne Dominault, *Le Malentendu*, encre, fusain et pigments sur toile, 2007.

@ *Des sites Internet à consulter*

Sur Albert Camus

• http://www.etudes-camusiennes.fr/wordpress/
Ce site, créé par la Société des études camusiennes, regroupe de multiples informations sur la vie d'Albert Camus et sur chacune de ses œuvres. Une rubrique, dédiée au Malentendu, signale quelles sont les sources qui ont inspiré Camus et quels sont les thèmes principaux de la pièce.

Sur les sources du *Malentendu*

• http://www.pointsdactu.org/article.php3?id_article=1018
Le site de la Bibliothèque municipale de Lyon revient, de manière très précise, sur les crimes qui ont eu lieu à Peyrebeille, en Ardèche, en 1831, et qui ont donné naissance au fameux mythe de «l'auberge rouge». Après un résumé détaillé des faits, l'auteur de l'article montre à quel point ces crimes ont été une source d'inspiration, aussi bien pour la littérature que pour le cinéma.

Fenêtres sur...

Sur une mise en scène du *Malentendu* de Camus

• http://fr.calameo.com/read/003009223dcfc39e13a7d

Le Malentendu de *Camus* a été mis en scène au théâtre de l'Usine par Hubert Japelle en 2013. Ce dossier, créé par la compagnie théâtrale, contient des informations sur la pièce de Camus, quelques photos de mise en scène ainsi qu'un dossier de presse.

Dans la même collection

CLASSICO**COLLÈGE**

14-18 Lettres d'écrivains (anthologie) (1)
Contes (Andersen, Aulnoy, Grimm, Perrault) (93)
Fabliaux (94)
La Farce de maître Pathelin (75)
Gilgamesh (17)
La Poésie engagée (anthologie) (31)
La Poésie lyrique (anthologie) (49)
Le Roman de Renart (50)
Jean Anouilh – *Le Bal des voleurs* (78)
Guillaume Apollinaire – *Calligrammes* (2)
Honoré de Balzac – *Le Colonel Chabert* (57)
Béroul – *Tristan et Iseut* (61)
Lewis Carroll – *Alice au pays des merveilles* (53)
Driss Chraïbi – *La Civilisation, ma Mère!...* (79)
Chrétien de Troyes – *Lancelot ou le Chevalier de la charrette* (109)
Chrétien de Troyes – *Yvain ou le Chevalier au lion* (3)
Jean Cocteau – *Antigone* (96)
Albert Cohen – *Le Livre de ma mère* (59)
Corneille – *Le Cid* (41)
Annie Ernaux – *La Place* (82)
Georges Feydeau – *Dormez, je le veux!* (76)
Gustave Flaubert – *Un cœur simple* (77)
Romain Gary – *La Vie devant soi* (113)
William Golding – *Sa Majesté des Mouches* (5)
Jacob et Wilhelm Grimm – *Contes* (73)
Homère – *L'Odyssée* (14)
Victor Hugo – *Les Misérables* (110)
Joseph Kessel – *Le Lion* (38)
Jean de La Fontaine – *Fables* (74)
J.M.G. Le Clézio – *Mondo et trois autres histoires* (34)
Jack London – *L'Appel de la forêt* (30)

Guy de Maupassant – *Histoire vraie et autres nouvelles* (7)

Guy de Maupassant – *Le Horla* (54)

Guy de Maupassant – *Nouvelles réalistes* (97)

Prosper Mérimée – *Mateo Falcone* et *La Vénus d'Ille* (8)

Molière – *L'Avare* (51)

Molière – *Le Bourgeois gentilhomme* (62)

Molière – *Les Fourberies de Scapin* (9)

Molière – *George Dandin* (115)

Molière – *Le Malade imaginaire* (42)

Molière – *Le Médecin malgré lui* (13)

Molière – *Le Médecin volant* (52)

Jean Molla – *Sobibor* (32)

Ovide – *Les Métamorphoses* (37)

Charles Perrault – *Contes* (15)

Edgar Allan Poe – *Trois nouvelles extraordinaires* (16)

Jules Romains – *Knock ou le Triomphe de la médecine* (10)

Edmond Rostand – *Cyrano de Bergerac* (58)

William Shakespeare – *Roméo et Juliette* (70)

Sophocle – *Antigone* (81)

John Steinbeck – *Des souris et des hommes* (100)

Robert Louis Stevenson – *L'Île au Trésor* (95)

Jean Tardieu – *Quatre courtes pièces* (63)

Michel Tournier – *Vendredi ou la Vie sauvage* (69)

Fred Uhlman – *L'Ami retrouvé* (80)

Paul Verlaine – *Romances sans paroles* (12)

Anne Wiazemsky – *Mon enfant de Berlin* (98)

Pour obtenir plus d'informations, bénéficier d'offres spéciales enseignants ou nous communiquer vos attentes, renseignez-vous sur **www.collection-classico.com** ou envoyez un courriel à **contact.classico@editions-belin.fr**

Cet ouvrage a été composé par Palimpseste à Paris.

Imprimé en Espagne par Novoprint (Barcelone)
N° d'édition : 008987-01 – Dépôt légal : août 2014